UEBERREUTER

www.ueberreuter.at

WOLFGANG UND HEIKE HOHLBEIN
GENESIS

D1872204

www.hohlbein.com

Genesis 1 - EIS
ISBN: 978-3-8000-5257-8
352 Seiten
€ 14,95 / sFr 26,90

Genesis 2 - STEIN
ISBN: 978-3-8000-5266-0
416 Seiten
€ 14,95 / sFr 26,90

Genesis 3 - DIAMANT
ISBN: 978-3-8000-5267-7
400 Seiten
€ 14,95 / sFr 26,90

Einst herrschten die mächtigen Elder über die Erde, doch ein schrecklicher Krieg beendete ihre Herrschaft und ließ sie in einen jahrtausendelangen Schlaf sinken. Nun sind sie erwacht und wollen sich die Erde erneut untertan machen … Verzweifelt versuchen der junge Ben und die Autistin Sasha sie aufzuhalten, denn in einer Welt der Elder hat die Menschheit keinen Platz mehr …

Geruch der warmen Suppe weckte auch seinen Hunger. Er hatte mehr als einen Tag nichts gegessen und sein Magen knurrte hörbar, als er mit zitternden Fingern nach dem groben Holzlöffel griff.
»Ich hole Verbandzeug«, sagte Wander. »Iss in Ruhe deine Suppe.«
»Die Pikten«, erkundigte sich Tander, während sein Sohn aufstand. »Was haben sie getan, nachdem sie dich niedergeschossen hatten?«
»Das weiß ich nicht«, antwortete Dulac. »Sie haben wohl gedacht, dass ich tot bin. Ich nehme an, sie sind fort.«
»Ich hoffe, sie sind tot«, grollte Tander. »Verdammte Hunde! Es müssen Nachzügler gewesen sein, die wohl auf jemanden gewartet haben, den sie überfallen und ausrauben können! Aber sie werden dafür bezahlen. Wenn Artus zurück ist, dann werden wir ein Heer aufstellen und ihnen einen Gegenbesuch abstatten. Sie sollen spüren, was es heißt, Krieg in die Mauern einer friedlichen Stadt zu tragen.«
»Artus ist nicht da?«, fragte Dulac harmlos.
Tander schüttelte heftig den Kopf. »Er ist mit all seinen Rittern losgezogen, um Uther und Lady Gwinneth zu befreien, dieser Narr!«
»Artus ist kein Narr«, widersprach Dulac heftig. »Ich hätte dasselbe getan.«
»Was nur zeigt, dass du ein ebensolcher Dummkopf bist«, sagte Tander grimmig. »Was, wenn die Barbaren zurückgekommen wären? Camelot war wehrlos. Sie hätten uns alle töten können.«
Dulac hätte ihm gerne abermals widersprochen, aber er konnte es nicht. Das Schlimme war, dass Tander vollkom-

men Recht hatte. Es war unverantwortlich von Artus gewesen, Camelot schutzlos zurückzulassen, nur um zwei Menschenleben zu retten. Selbstverständlich hätte Dulac an seiner Stelle dasselbe getan, ging es doch um Gwinneth und ihren Gatten, aber er verstand Tanders Unmut trotzdem. Jemand wie er war Herr seines Lebens und konnte frei entscheiden, was er damit tat und für wen er es aufs Spiel setzte, aber das galt nicht für Artus. Mit der Krone hatte er auch die Verantwortung für dieses Land und das Leben jedes einzelnen seiner Bewohner übernommen.

Wander kam zurück, balancierte eine Schale Wasser, ein kleines Tongefäß und ein nicht allzu sauberes Tuch auf den Armen und setzte alles vor ihm auf dem Tisch ab. Er geduldete sich, bis Dulac seine Suppe ausgelöffelt hatte, dann forderte er ihn auf das Hemd auszuziehen und begann mit geschickten Bewegungen seine Wunde zu säubern und anschließend zu verbinden. Es tat ziemlich weh, aber Dulac ertrug die Prozedur mit zusammengebissenen Zähnen. Er war froh, dass sich jemand um ihn kümmerte, allerdings auch ziemlich erstaunt, dass es ausgerechnet Wander war. Tanders Sohn und er waren alles andere als gute Freunde.

»Was hast du mit dem König zu schaffen?«, fragte Tander nach einer Zeit.

»Wie?« Dulac begriff nicht einmal, was Tander meinte. Diese Frage war doch vollkommen sinnlos!

»Nachdem du gestern fort warst«, erklärte der Schankwirt, »war Artus hier, zusammen mit all seinen Rittern. Er hat nach dir gefragt.« Tander schnaubte. »Er war ziemlich aufgebracht. Du ziehst uns doch da nicht in irgendetwas hinein, Bursche?«

»Bestimmt nicht!«, versicherte Dulac hastig. »Er war wütend, sagt Ihr? Weshalb? Was hat er gesagt?«
»Er wollte wissen, wo du bist und wo du hinwillst«, antwortete Tander schulterzuckend.
»Und Ihr habt es ihm erzählt?« Seine Stimme verriet mehr von seinem Schrecken, als Dulac lieb war.
»Selbstverständlich habe ich es ihm erzählt«, antwortete Tander. »Was hast du denn geglaubt? Dass ich den König deinetwegen belüge?«
»Alles?«, vergewisserte sich Dulac. »Ich meine: auch ... auch von Malagon und ...«
»Hast du denn sonst noch von etwas gesprochen?«, unterbrach ihn Tander hämisch. Er wollte noch mehr sagen, aber Dulac fiel auf, dass Wander ihm einen raschen, warnenden Blick zuwarf, und er verbiss sich den Rest.
»Du sollst dich auf der Burg melden, sobald du zurück bist«, fuhr Tander stattdessen fort. »Falls du dazu in der Lage bist, heißt das. Deine Schulter sieht nicht gut aus. Das hast du prima hingekriegt, wirklich. Du wirst mindestens eine Woche lang nicht richtig arbeiten können, wenn nicht länger. Und das ausgerechnet jetzt, wo wir jede Hand dringender denn je brauchen!«
Für einen Moment hatte Dulac zu nichts größere Lust als Tander den Rest der Suppe ins Gesicht zu kippen, der vor ihm auf dem Tisch stand. Doch er beherrschte sich und sagte stattdessen in ruhigem Ton: »Ich werde es wieder gutmachen.«
Tander zog eine Grimasse, aber in seinen Augen erschien ein verschlagener Ausdruck. »Ich wüsste schon einen Weg, wie du das könntest«, sagte er.
»So?«, fragte Dulac.

»Sie haben Dagda getötet, nicht wahr?«, fragte Tander. »Artus' Koch und Küchenmeister.«
»Das stimmt«, antwortete Dulac traurig. Für einen Moment erschien das Gesicht des gutmütigen alten Mannes noch einmal vor seinem inneren Auge und Dulac hatte plötzlich alle Mühe, die Tränen zu unterdrücken.
»Dafür werden ihre Seelen in der Hölle schmoren«, sagte Tander grimmig. »Dennoch dürfen wir die Augen nicht vor der Realität verschließen. Es ist jetzt niemand mehr da, der sich um das leibliche Wohl des Königs und seiner Ritter sorgt. Du allein wirst es nicht schaffen, vor allem nicht mit deiner verletzten Schulter.«
»Worauf wollt Ihr hinaus?«, fragte Dulac. Dabei glaubte er die Antwort auf diese Frage bereits zu kennen. Nur weigerte er sich für den Augenblick einfach es zu glauben. Tander konnte doch nicht in einem Moment wie diesem ... Aber er konnte. »Artus wird einen neuen Koch brauchen«, antwortete Tander. »Die Arbeit ist viel zu schwer für dich allein, verletzt oder nicht. Du könntest dich dafür einsetzen, dass er uns bei der Auswahl berücksichtigt. Wir können die Arbeit gut gebrauchen. Die Zeiten sind schlecht. Niemand geht ins Gasthaus, wenn ihm gerade das Dach über dem Kopf abgebrannt ist. Und natürlich behältst du deinen Posten bei Hofe, auch wenn ich in Zukunft die Küche leite«, beeilte er sich hastig hinzuzufügen. Dulac war empört. Das also war der einzige Grund für Tanders ungewohnte Großzügigkeit! Camelot lag in Trümmern. Viele Menschen waren tot, Artus und alle seine Ritter verschwunden und Tander konnte nicht einmal wissen, ob sie lebend zurückkamen, und alles, woran er dachte, war sein Geschäft!

»Ich werde ihn fragen«, antwortete Dulac.
»Aber nicht heute Nacht«, fügte Wander hinzu. »Du brauchst Ruhe. Für heute kannst du in meinem Bett schlafen. Morgen sehen wir dann weiter.«

Die neue Großzügigkeit des Schankwirtes erlebte einen nie geahnten Höhepunkt, als Dulac am nächsten Morgen erwachte. Was ihn aufweckte, war nämlich ein hektisches Hämmern, Sägen und Werkeln, das vom Dachboden herunterdrang, nicht Tanders Hand, die ihn wie gewohnt vor Sonnenaufgang wachrüttelte, damit er noch die eine oder andere Kleinigkeit erledigen konnte, bevor er sich auf den Weg zur Burg machte.
Es war schon spät. Das Sonnenlicht fiel in schrägen Bahnen ins Zimmer, die ihm verrieten, dass der Morgen schon ein gutes Stück vorangeschritten war. Tander hatte ihn ausschlafen lassen, tatsächlich zum allerersten Mal, seit Dulac Aufnahme in der Familie des Gastwirtes gefunden hatte, und für einige Momente genoss er einfach das Gefühl, dazuliegen und allmählich wach zu werden, ohne dass jemand neben ihm stand und seinen Tag mit einer Schimpfkanonade und endlosen Vorwürfen begann.
Nach einer Weile richtete er sich auf und verzog das Gesicht, als nun auch die Wunde in seiner Schulter erwachte und heftig zu pochen begann. Mit zusammengebissenen Zähnen bückte er sich nach seinen Kleidern und zog sich ungeschickt und mit nur einer Hand an. Sein blutiges Hemd war verschwunden. Stattdessen fand er ein sorgsam zusammengelegtes weißes Wams auf dem Schemel neben seinem Bett, das Wander gehörte, wie er wusste. Nicht nur das – es war sein bestes Stück und er hatte es erst im letz-

ten Herbst bekommen. Dulac erinnerte sich gut daran, dass Tander eine Woche lang über den Preis lamentiert und wieder einmal so getan hatte, als ob ihn die zusätzlichen Kosten unweigerlich in den Ruin treiben mussten. Tander schien wirklich großen Wert darauf zu legen, dass er einen guten Eindruck machte, wenn er zu Artus ging.
Dulacs Groll über die scheinbare Gier des Schankwirtes hatte sich mittlerweile jedoch einigermaßen gelegt. So unerhört ihm sein Ansinnen auch nach wie vor erschien, konnte er ihn doch auch verstehen. Die Geschäfte liefen schlecht in letzter Zeit. Tander hatte Recht. Die Leute trugen ihr Geld nicht ins Gasthaus, wenn ihnen das Dach über den Köpfen brannte und vielleicht Krieg drohte. Und Tander in Camelots Küche mochte zwar etwas sein, das Dulacs Vorstellung von einem Albtraum ziemlich nahe kam, aber es konnte durchaus schlimmer kommen.
Er zog sich fertig an, ging nach unten und verließ das Haus, bevor er Tander über den Weg lief und dieser vielleicht auf die Idee kommen konnte, dass es auch noch genug Arbeiten im Haus gab, die man mit nur einer Hand erledigen konnte. Er trug den linken Arm in der Schlinge, und solange er ihn nicht übermäßig bewegte, hielten sich die Schmerzen in seiner Schulter in erträglichen Grenzen. Dennoch hatte Tander mit seiner Vorhersage Recht: Es würde Wochen dauern, bis er den Arm wieder ganz normal bewegen konnte.
Dulac machte sich auf den Weg zur Burg. Er ließ sich Zeit, zum einen, weil seine Schulter stärker schmerzte, je schneller er sich bewegte, zum anderen aber, weil er Angst vor dem Moment hatte, in dem er Artus – und vor allem Gwinneth! – wieder sehen würde.

Camelot bot einen Anblick des Jammers. Anders als das letzte Mal, als er durch die Straßen der Stadt gegangen war, waren die Menschen nicht in Panik und er hörte kein Weinen und keine Schmerzensschreie. Ganz im Gegenteil drang manchmal ein Lachen aus einer offen stehenden Tür oder einem Fenster und überall wurde gehämmert und gearbeitet. Die Menschen bauten wieder auf, was sie verloren hatten, und meistens wahrscheinlich schöner und größer als zuvor. Dennoch schien etwas wie eine Atmosphäre der Angst über der Stadt zu liegen, eine stille Furcht, die von den Herzen der Menschen Besitz ergriffen hatte und selbst noch durch das Lachen in ihren Augen hindurchschimmerte. Im ersten Moment verstand er das nicht, aber nach und nach wurde ihm klar, was hier geschehen war. Solange er in Camelot lebte, ja, länger noch, seit Artus über Camelot herrschte, hatte diese Stadt Frieden erlebt. Artus und seine Ritter zogen oft in den Krieg, aber die Schlachten, die sie für Gerechtigkeit und Ehre schlugen, fanden stets weit entfernt statt, jenseits der Grenzen des Landes oder doch zumindest so weit von der Stadt entfernt, dass das Wort Krieg für die meisten seiner Bewohner seine wahre Bedeutung schon lange verloren hatte.

Jetzt hatte die Wirklichkeit sie wieder eingeholt. Mordreds feiger Überfall hatte den Krieg wieder zurück nach Camelot getragen und das war es, was die Menschen so tief erschüttert hatte und was wohl letztendlich auch der Grund für Tanders Zorn war. Nicht Artus' Schwert, sondern seine bloße Gegenwart hatte die Stadt fast ein Menschenleben lang vor jedem Angriff beschützt. Niemand wagte es, die Hand gegen Camelot zu erheben. Mordred hatte gegen

dieses ungeschriebene Gesetz verstoßen, aber die Menschen hier gaben nicht ihm die Schuld, sondern Artus, von dem sie sich verraten fühlten.
Dulac musste an das denken, was ihm Gwinneth über Artus und seine Fähigkeiten als Politiker erzählt hatte, und er verstand sie jetzt ein bisschen besser. Es war kompliziert, machte aber durchaus Sinn. So oder so – er hätte in diesem Moment nicht mit Artus tauschen wollen.
Nach einer Weile erreichte er die Burg. Artus und seine Begleiter mussten in der Nacht zurückgekommen sein, denn Artus' Banner hing schlaff in der windstillen Luft über dem Tor und vom Burghof drangen ihm Hämmern und die Rufe der Handwerker entgegen, die mit vereinten Kräften dabei waren, die Spuren von Mordreds *Besuch* zu beseitigen. In einem aber unterschied sich Burg Camelot eindeutig von den Straßen der gleichnamigen Stadt: Hier herrschte keine Angst, sondern eine fast fröhliche Stimmung. Die Toten waren weggeschafft worden, alle Spuren der Kämpfe beseitigt, und als Dulac durch das Tor trat und die große Anzahl von Handwerkern und Gehilfen sah, die Camelot etwas von einem wimmelnden Ameisenhaufen zu geben schienen, wurde ihm klar, dass die Burg in wenigen Tagen schon wieder so prachtvoll und strahlend aussehen würde wie zuvor. Angesichts der Schäden, die die Stadt davongetragen hatte, erschien ihm dies fast widersinnig, denn ein funktionierender Brunnen war allemal wichtiger als das polierte Kupferdach eines Aussichtsturmes, aber dann sagte er sich, dass wohl auch dies zu Artus' ganz speziellen *politischen* Aufgaben gehörte. Es war wichtig, dass Camelot in all seiner Pracht erstrahlte. Wenn die Menschen wieder an Artus' Schutz und Unbesiegbar-

keit glauben sollten, dann brauchten sie etwas, zu dem sie aufblicken konnten.
Vielleicht war er an diesem Morgen der einzige Mensch in der ganzen Burg, der sich nicht von der allgemeinen Fröhlichkeit und Aufbruchstimmung anstecken ließ. Aus dem vagen Kummer, der die ganze Zeit über in ihm gewesen war, wurde allmählich ein dumpfer Schmerz, als er sich der Treppe zum Kellergewölbe näherte. Es war ein schwerer Gang, den er nun zu gehen hatte, aber er musste es tun. Als er das letzte Mal hier gewesen war, war ihm keine Zeit geblieben, wirklich von Dagda Abschied zu nehmen. Nun würde er dieses Versäumnis nachholen. Selbst wenn er nur in einem leeren Zimmer und allein vor einem leeren Bett stand.
Er war jedoch nicht allein und das Zimmer war nicht leer. König Artus stand an dem Bett und starrte dorthin, wo gestern noch Dagdas einfacher Strohsack gelegen hatte. Er musste Dulac bemerkt haben, denn dieser hatte sich keine Mühe gegeben, leise zu sein, hatte er sich hier unten doch vollkommen allein gewähnt. Trotzdem reagierte er nicht im Geringsten, als Dulac hereinkam. Erst als dieser mit einem unbehaglichen Räuspern auf sich aufmerksam machte, hob er den Kopf und drehte sich ganz langsam zu ihm herum. Sein Gesicht war wie Stein, eine Maske königlicher Beherrschtheit wie immer, aber seine Augen schimmerten nass und auf seinen Wangen waren zwei schmale, feuchte Linien zu erkennen. Hatte der König ... geweint?
»Dulac«, begrüßte er Dulac.
Dulac senkte hastig den Blick und hauchte ein: »Mein König.«

»Lass den Unsinn«, sagte Artus. »Wir sind allein. Und ich fühle mich im Moment ganz und gar nicht königlich.« Er holte hörbar Luft. »Ich habe einen guten Freund verloren. Den besten vielleicht, den ich je hatte.«

»Dagda.«

»Merlin«, verbesserte ihn Artus. »Sein Name war Merlin. Er hat ihn abgelegt, als sich die Zeiten zu ändern begannen und das Kreuz immer stärker und der Runenstab immer schwächer zu werden begann.«

»Warum?«, fragte Dulac.

Artus zuckte die Schultern. »Er wollte mir wohl nicht im Weg stehen«, sagte er. »Merlin war der letzte Hohepriester der alten Götter, musst du wissen. Der letzte der alten Magier und mit Sicherheit der mächtigste, der je gelebt hat. Ich weiß nicht, wie es ohne ihn weitergehen soll. Am Ende ist auch er dem erbarmungslosen Feind erlegen, der Zeit.«

»Nein«, sagte Dulac. Vermutlich war es ein Fehler, aber Artus hatte das Recht, zu erfahren, was wirklich geschehen war.

»Nein? Was meinst du damit?«

»Dagda – Merlin – wusste, dass er sterben würde«, antwortete Dulac. »Er hat es mir gesagt. Er fühlte sich alt und schwach. Aber es war nicht das Alter, das ihn getötet hat.«

»Du warst ... dabei?«, fragte Artus ungläubig.

»Er ist in meinen Armen gestorben«, bestätigte Dulac. »Ja.«

»Wer hat ihn getötet?« Artus' Stimme wurde scharf. »Die Pikten?«

»Zauberei«, antwortete Dulac. »Es war schwarze Magie. Ich verstehe nichts von solcherlei Dingen, aber es war Zauberei. Finsteres Hexenwerk.«

Artus' Blick verdüsterte sich. Er stellte keine Fragen nach Einzelheiten. »Morgaine«, murmelte er. »Ich hätte es wissen müssen. Die Hexe. Ich wusste, dass sie etwas im Schilde führt, aber ich hätte nie geglaubt, dass sie es wagt, hier im Herzen Camelots zuzuschlagen.« Er maß Dulac mit einem grimmigen Blick. »Du irrst dich, Junge. Es war das Alter, das Merlin getötet hat. Wäre er auch nur noch im Besitz eines Bruchteiles seiner Kräfte gewesen, so hätte er diesen feigen Angriff ohne Mühe abgewehrt. Und es ist meine Schuld. Ich hätte ihn nicht allein lassen dürfen! Ich bin wie ein Dummkopf auf den ältesten aller Tricks hereingefallen. Und um ein Haar hätte ich auch noch Uther und Gwinneth ins Verderben geführt.«

»Gwinneth?«, fragte Dulac mit gespieltem Schrecken. »Was ist mit –«

»Sie ist unversehrt«, unterbrach ihn Artus. »Aber das ist nicht mein Verdienst. König Uther ist tot, und wäre nicht dieser geheimnisvolle Silberne Ritter aufgetaucht, dann wäre wohl auch Gwinneth nicht zurückgekommen.«

»Derselbe Ritter, der –«

»Derselbe, ja«, unterbrach ihn Artus. Dann fragte er: »Was ist mit deinem Arm passiert?«

»Ich war ungeschickt«, antwortete Dulac ausweichend. »Es ist nicht schlimm.« Um seine Behauptung gleich unter Beweis zu stellen, nahm er den Arm aus der Schlinge. Die Bewegung hätte ihm fast die Tränen in die Augen getrieben, aber er beherrschte sich und beließ es bei einem flüchtigen Verziehen der Lippen.

»Ich bin froh, dass du nicht arg verletzt bist«, sagte Artus. Zu Dulacs Erleichterung fragte er nicht, wie und wo er sich die Verletzung zugezogen hatte. »Und es wird noch mehr Blut fließen. Ich fürchte, das war erst der Anfang. Mordred wird nicht aufgeben. Er will Camelot und es ist ihm egal, wenn er auf dem Weg dorthin durch ein Meer aus Blut waten muss.«

Dulac war verwirrt. Es erstaunte ihn, dass Artus ihn so ins Vertrauen zog, aber dann wurde ihm klar, dass dieser Eindruck nicht stimmte. Artus zog ihn nicht ins Vertrauen. Er brauchte einfach jemanden um zu reden und Dulac war zufällig der Erste, den er getroffen hatte.

Artus sog so tief die Luft ein, dass es sich fast wie ein kleiner Schrei anhörte. Als er weitersprach, hatte er sich wieder vollkommen in der Gewalt. »Das Leben geht weiter, Dulac«, sagte er, »so grausam es klingen mag. Ich möchte, dass du zu deinem Ziehvater gehst und ihn bittest, fürs Erste hier nach dem Rechten zu sehen. Jemand muss für uns kochen. Und was dich angeht ...« Er zögerte einen Moment. »Ich habe Merlin vor langer Zeit versprochen, mich um dich zu kümmern, sollte ihm etwas zustoßen, und ich werde mein Wort halten. Doch ich möchte dich bitten, mir noch etwas Zeit zu geben. Im Moment ist einfach zu viel im Ungewissen.«

»Natürlich«, antwortete Dulac hastig. Der König bat *ihn* um Verständnis? Er konnte es kaum glauben, obwohl er es mit eigenen Ohren hörte.

»Geh jetzt nach Hause«, sagte Artus. »Dort wartet bestimmt genug Arbeit auf dich. Morgen bei Sonnenaufgang werden wir unsere gefallenen Brüder beisetzen. Ich erwarte dich vor der Kirche.«

Dulac hatte in seinem ganzen Leben noch keinen Fuß in eine Kirche gesetzt, aber er widersprach nicht. Artus erwartete etwas Bestimmtes von ihm. Er wusste noch nicht, was, aber er spürte deutlich, dass der König nicht nur aus bloßer Freundlichkeit mit ihm sprach. Da war noch etwas. Und eines spürte er ganz deutlich: Was immer es war, es würde ihm nicht gefallen.

Die Beisetzung fand am nächsten Morgen statt, eine halbe Stunde nach Sonnenaufgang. Camelots Friedhof lag außerhalb der Stadtmauern und er spiegelte auf seine Art den gleichen Geist wider, der auch in der Burg und an Artus' Tafel herrschte. Alle Kreuze auf diesem Gottesacker waren gleich. Es gab keinen Unterschied, ob hier eine einfache Magd oder ein Ritter von edler Geburt begraben lagen, und die meisten Kreuze waren nicht einmal beschriftet.

Caldridge und die vier anderen Ritter waren nicht die Einzigen, die an diesem Morgen beigesetzt wurden. Neben der kleinen Kapelle waren annähernd zwei Dutzend in weißes Leinen eingeschlagene Körper aufgereiht; die Tafelritter, Männer und Frauen aus Camelot, die beim Angriff der Pikten gefallen waren, aber auch die Pikten, die den Überfall mit dem Leben bezahlt hatten. Der Tod machte alle gleich.

Der Trauerzug, der mit dem ersten Licht der Dämmerung aus dem Stadttor zog, war erstaunlich lang. Nicht nur Artus und alle seine Ritter, sondern auch Dutzende von Männern und Frauen aus Camelot waren gekommen, um Abschied von den ihren zu nehmen, und Dulac fühlte sich mit jedem Moment weniger wohl. Eine Beisetzung war wohl nie eine angenehme Sache und es war nicht die erste, an der er teilnahm, aber niemals zuvor hatte er so großen Schmerz und solch hilflose Wut in den Augen der

Menschen gesehen. Was er gestern in Camelots Straßen gefühlt hatte, galt noch immer und es war sogar noch schlimmer geworden. Hätte Artus ihm nicht befohlen hierher zu kommen, hätte er kehrtgemacht, ohne den Friedhof auch nur zu betreten, und sich irgendwo verkrochen.

Und wäre Gwinneth nicht gewesen.

Sie ging, ganz in strahlendes Weiß gekleidet, die Trauerfarbe der Könige, ganz vorne an der Spitze des Trauerzuges. Ihr Gesicht war verschleiert, aber sie schien sich nur noch mit letzter Kraft bewegen zu können und ihre Schultern bebten ununterbrochen. Sie weinte unter ihrem Schleier.

Dulac hätte viel darum gegeben, hätte auch er weinen können. Er hatte Dagdas Tod noch lange nicht verwunden und in ihm war ein tiefer, grausamer Schmerz, der nicht abnahm, sondern im Gegenteil immer noch schlimmer zu werden schien.

Und er konnte die Männer nicht vergessen, die er erschlagen hatte.

Er hatte diese verfluchte silberne Rüstung abgelegt, aber die Erinnerung an das schreckliche Geschehen konnte er nicht einfach abstreifen. Wenn er die Augen schloss, dann sah er das Gesicht des Pikten vor sich, den das Einhorn aufgespießt hatte, das dumpfe Entsetzen in seinen Augen und vor allem die Mutlosigkeit. Von allen ging ihm das Schicksal dieses Mannes am nahesten. Er hatte gewusst, dass er chancenlos war, dass er in den sicheren Tod ritt. Es war kein fairer Kampf gewesen. Ebenso gut hätte er einem Gefesselten die Kehle durchschneiden können. Er hatte geglaubt, dass die Rüstung ihn zu einem Ritter machen würde, aber wenn er ganz ehrlich war, dann hatte sie ihn zum Mörder gemacht. Er würde sie nie, *nie* wieder anlegen, ganz egal, was geschah.

Sie betraten die Kapelle. Sir Lioness hielt eine einfache, überraschend kurze Andacht, dann gingen sie wieder hinaus um sich den Trägern anzuschließen, die die in Leinen gehüllten Leichname zu den bereits ausgehobenen Gräbern trugen. Dulac ging bewusst langsamer als die anderen. Er hatte die Kapelle als Letzter betreten, sodass die anderen Trauergäste nun an ihm vorbeigingen und er auf diese Weise in Gwinneths Nähe gelangte. Vielleicht konnte er sogar einen Blick auf ihr Gesicht erhaschen.

Er bekam deutlich mehr. Als Artus und Gwinneth an ihm vorbeigingen, nickte der König ihm zu und Gwinneth blieb stehen und sah ihn einen Herzschlag lang durch den Schleier vor ihrem Gesicht hindurch an. Dann drehte sie den Kopf und blickte Artus an, und erst als dieser abermals genickt hatte, drehte sie sich wieder zu ihm herum und hob den Schleier. Ihr Gesicht war weiß und ihre Augen sahen aus, als hätte sie die ganze Nacht hindurch ununterbrochen geweint. Trotzdem glomm in ihrem Blick ein zwar schwaches, aber sehr warmes Lächeln auf, als sie ihn ansah.

»Dulac. Ich bin froh, dich zu sehen.«

»Mylady.« Dulacs Herz begann zu klopfen. Spätestens jetzt würde es sich entscheiden. Vorgestern noch mochte sich Gwinneth einen Spaß daraus gemacht haben, so zu tun, als ob sie ihn nicht erkannte, aber so grausam, dieses Spiel selbst jetzt noch weiterzutreiben, konnte sie einfach nicht sein.

Doch alles, was er in ihren Augen las, waren Erleichterung

und Freude, ihn zu sehen. Es blieb dabei: Sie hatte ihn nicht erkannt. Es war, als hätte die magische Rüstung ihm nicht nur Stärke verliehen, sondern tatsächlich einen vollkommen anderen aus ihm gemacht.
»Bleib einen Moment bei mir, Dulac«, bat Gwinneth. »Ich ... brauche jetzt einen Freund.«
Dulac blinzelte überrascht zu Artus hoch, aber Artus reagierte ganz anders, als er erwartet hatte, und signalisierte mit einem Nicken seine Zustimmung. Er trat, noch immer ein bisschen verwirrt, hinter Gwinneth und den König und folgte ihnen.
Der Rest der Zeremonie dauerte vielleicht noch eine halbe Stunde, aber Dulac kam es vor, als nähme sie kein Ende. Sir Lioness sprach an jedem der offenen Gräber ein kurzes Gebet, aber ihre schiere Zahl ließ die Beisetzung unerträglich lang werden. Endlich, endlich war es vorbei und Lioness erteilte einen letzten abschließenden Segen, worauf sich die Trauergemeinde rasch zu zerstreuen begann. Es gab keine Gespräche, keine Hinterbliebenen, die noch eine Weile am offenen Grab standen um Abschied zu nehmen. Die Menschen flohen regelrecht von dem kleinen Friedhof. Vielleicht hofften sie in der vertrauten Umgebung in ihren Häusern einen schwachen Trost zu finden.
Auch die meisten Ritter zogen sich bald zurück und schließlich standen außer Artus selbst und Sir Lioness nur ein knappes Dutzend Tafelritter an den offenen Gräbern.
Auch Dulac wünschte sich einfach nur weg. Gwinneths Nähe spendete keinen Trost und Artus sah ihn immer wieder auf eine Art an, die ihm einen kalten Schauer über den Rücken laufen ließ.
Gwinneth begann wieder zu weinen. Dulac hätte alles

darum gegeben, ihren Schmerz zu lindern oder wenigstens zu teilen, aber er konnte weder das eine noch das andere. Als sie ihr von Schluchzen unterbrochenes Schweigen endlich brach, begriff er, dass er den wahren Grund ihres Schmerzes gar nicht kannte.

»Er war so ein guter Mann«, murmelte sie. »Es ist nicht richtig, dass er so sterben musste.«

»Uther?«, vermutete Dulac.

»Er war der Letzte seiner Art«, fuhr Gwinneth fort, ohne seine Frage zu beantworten. »Jetzt gibt es wohl nur noch ...«

Sie sprach nicht weiter, aber Dulac hatte schon alle Mühe, diesem halben Satz irgendeinen Sinn abzugewinnen. Er sah fast Hilfe suchend zu Artus hoch, aber auch der König reagierte ganz anders, als er erwartet hatte. Statt auch nur irgendetwas zu sagen, lächelte er Dulac traurig an – und drehte sich herum, um mit schnellen Schritten davonzugehen. Dulac sah ihm verwirrt nach. Er sollte froh sein, einige Momente allein mit Gwinneth verbringen zu können, aber er spürte das Gegenteil. Er war beunruhigt.

»Mylady?«, murmelte er unsicher.

»Gwinneth«, verbesserte ihn Gwinneth. »Wir sind doch Freunde – oder waren es wenigstens fast. Jedenfalls habe ich das gedacht.«

»Das ... das stimmt auch«, versicherte Dulac hastig. Seine Gedanken führte einen wilden Tanz auf. Worauf wollte Gwinneth hinaus? Hatte sie ihn am Ende doch erkannt und nur auf eine Gelegenheit gewartet, um allein mit ihm zu reden? Aber eigentlich erschien ihm dieser Gedanke wenig wahrscheinlich. Artus hatte sie nicht zufällig allein gelassen.

»Siehst du und genau das ist unser Problem«, sagte Gwinneth traurig.
»Problem?«, wiederholte Dulac verständnislos. Wie konnte es ein Problem sein, sich der Freundschaft eines anderen gewiss zu sein?
»Worauf wollt Ihr hinaus, Mylady?«, fragte er geradeheraus. Diesmal benutzte er die formelle Anrede ganz bewusst und er las in Gwinneths Augen auch, dass sie dies begriff, ebenso wie den Grund, aus dem er es tat. Als sie weitersprach, war ihr Lächeln eine Spur trauriger geworden.
»Lass uns ein paar Schritte gehen, Dulac«, schlug sie vor.
Dulac war froh, aus der Nähe der offenen Gräber zu entkommen. Etliche der Toten waren jetzt an die drei Tage alt, und obwohl man sie zweifellos sorgsam gewaschen und gesalbt hatte, lag bereits ein leichter Verwesungsgeruch über dem Friedhof. Mit einem wortlosen Nicken schloss er sich Gwinneth an, drehte aber nach ein paar Schritten noch einmal den Kopf und sah zu Artus zurück. Der König blickte direkt in ihre Richtung, machte aber keine Anstalten, ihnen zu folgen.
»Keine Sorge«, sagte Gwinneth. Sie hatte seinen Blick bemerkt. »Er hat nichts dagegen, dass wir miteinander reden. Im Gegenteil. Er hat mich gebeten, mit dir zu sprechen.«
»Worüber?«, fragte Dulac unbehaglich.
»Über uns«, antwortete Gwinneth offen. »Wir können uns nicht mehr sehen, Dulac.«
»Nicht mehr sehen? Aber –«
Gwinneth blieb stehen und drehte sich zu ihm herum. Die Tränen waren aus ihren Augen verschwunden, aber sie wirkte auf eine Art gefasst, die Dulac klarmachte, dass sie

gar nicht mit ihm reden wollte, sondern dass sie ihm etwas *mitzuteilen* hatte.

»Es ist meine Schuld, Dulac«, begann sie. »Ich hätte dir keine Hoffnungen machen dürfen.«

»Hoffnungen? Aber –«

»Du hast sie dir gemacht«, behauptete Gwinneth. »Du musst dich deswegen nicht schämen. Es war meine Schuld ganz allein. Mir war die Zeit lang und ich habe einen netten Jungen gesehen, mit dem ich ein bisschen plaudern konnte. Für mich war es nicht mehr. Ich hätte wissen müssen, was ich damit anrichte. Es tut mir Leid.«

»Ich verstehe«, sagte Dulac bitter. »Wir passen nicht zusammen, Ihr und ich. Eine Königin und ein einfacher Junge, der nicht einmal weiß, wo er geboren ist und wer seine wirklichen Eltern waren.«

Gwinneth sah ihn lange genug wortlos an, um ihn seine Antwort bedauern zu lassen, dann sagte sie leise und traurig: »Das habe ich wohl verdient.«

»Verzeiht, Mylady«, sagte Dulac hastig. »So ... so habe ich das nicht gemeint.«

»Doch, das hast du«, sagte Gwinneth. »Und du hast Recht. So grausam es dir auch vorkommen mag, Dulac, aber es ist die Wahrheit. Wir stammen aus verschiedenen Welten, du und ich, und wir werden immer in verschiedenen Welten leben. Ich hätte niemals mit dir reden dürfen. Mir war nicht klar, was ich damit anrichte. Bitte verzeih mir. Wirst du das tun?«

»Selbstverständlich, Mylady«, sagte Dulac. Er kämpfte mit letzter Kraft um seine Beherrschung. Seine Stimme klang selbst in seinen eigenen Ohren kälter, als er es beabsichtigt hatte. Gwinneths Blick wurde noch trauriger.

»Wir werden uns nicht wieder sehen können, Dulac«, sagte sie noch einmal. »Es ist besser so, auch für dich, glaube mir.«
»Selbstverständlich, Mylady«, sagte Dulac noch einmal. »Ich nehme an, das entspricht auch Artus' Befehl.«
»Seinem Wunsch«, verbesserte ihn Gwinneth. »Ja.«
Nun wurde ihm auch klar, warum es Artus so eilig gehabt hatte, einen neuen Küchenmeister für Camelot zu finden. Ganz plötzlich wusste er, dass er Camelot vermutlich nicht mehr betreten würde; wenigstens nicht, solange Gwinneth zu Gast auf der Burg war.
»Artus und ich werden heiraten«, sagte Gwinneth plötzlich. Sie sah ihn dabei nicht an.
»Ihr werdet ... *was*?«, krächzte Dulac. Er hatte Gwinneths Worte gehört, aber er *wollte* den Sinn nicht verstehen.
»Wir werden heiraten«, wiederholte Gwinneth, noch immer ohne ihm in die Augen zu sehen. »Wir haben darüber geredet, während des gesamten Weges zurück und auch gestern.«
»Heiraten? Aber ... aber Euer Gemahl ist noch nicht einmal richtig beerdigt und –«
Gwinneth unterbrach ihn mit einer sanften Handbewegung. »Natürlich nicht sofort, sondern erst nach einer angemessenen Trauerzeit«, sagte sie.
»Aber Artus ist ... ist alt genug, um Euer Vater zu sein!«, stammelte Dulac.
»So wie Uther alt genug war, um mein Großvater zu sein«, sagte Gwinneth ruhig. »Erinnerst du dich, was ich dir über Uther und mich erzählt habe? Wir waren vor Gott und dem Gesetz vermählt, aber er war nicht wirklich mein Mann. Er hat mich zur Frau genommen um

mich zu beschützen. Artus hat mir dasselbe Angebot gemacht und ich werde es annehmen. Ich muss es wohl tun, Dulac. Ich kann nirgendwohin. Mordred würde jedes Königreich zerstören, in dem ich Aufnahme finden könnte.«

Dulac schwieg. Seine Augen begannen zu brennen und er hatte wirklich alle Mühe, die Tränen zurückzuhalten. Aber anders als Gwinneth wohl annahm, waren es Tränen der Wut und der Enttäuschung. Gwinneth erzählte ihm nichts anderes als das, was sie auch schon dem Silbernen Ritter erzählt hatte, und im Grunde hätte er sich denken können, dass es früher oder später so kommen würde.

Aber nach kaum zwei Tagen?

Artus hatte wahrlich keine Zeit verloren!

»Gibt es denn ...« Seine Stimme versagte ihm den Dienst. Er musste ein paar Mal schlucken, ehe er noch einmal ansetzen konnte. »Gibt es denn gar keinen anderen, dem Euer Herz gehört?«

Gwinneth antwortete nicht gleich. Ihr Blick schien geradewegs durch ihn hindurch zu gehen und sich auf einen Punkt in weiter Ferne zu richten. Was sie wohl sagen würde, hätte sie geahnt, dass Dulac wusste, was sie in diesem Moment sah?

»Nein«, sagte sie schließlich, sehr leise und sehr traurig. »Für einen Moment habe ich vielleicht geglaubt, dass es jemanden gäbe, aber es ... es war wohl nur ein Traum.«

Nein, das war es nicht, wollte Dulac schreien. *Es war kein Traum und er ist auch nicht fort. Ich bin es! Ich stehe doch vor Euch!*

Er war ganz dicht davor, die Worte laut auszusprechen, sie einfach an den Schultern zu ergreifen und ihr die Wahrheit entgegenzuschreien, ganz egal was danach auch mit ihm geschah.

Doch Gwinneth kam ihm zuvor. Plötzlich und ohne irgendeine Warnung trat sie auf ihn zu, legte die Arme um seinen Hals und hauchte ihm einen Kuss auf die Lippen.

Dulac war so überrascht, dass er nicht einmal richtig begriff, was sie tat. Fassungslos und wie gelähmt stand er da und starrte Gwinneth an.

»Das war ich dir schuldig«, sagte sie lächelnd. »Bewahre ihn gut auf, Dulac. Es war das letzte Mal, dass wir uns berührt haben.« Und damit fuhr sie auf dem Absatz herum und ging davon, so schnell sie es gerade noch konnte ohne zu rennen.

Dulac sah ihr verstört nach. Hinter seiner Stirn tobte ein Orkan einander widersprechender Gefühle und er war nicht fähig, auch nur einen einzigen klaren Gedanken zu fassen. Länger als eine Minute stand er stocksteif da und sah Gwinneth nach, selbst als sie schon längst verschwunden war.

Als er sich endlich herumdrehte, stand Artus hinter ihm. Er stand vermutlich schon eine ganze Weile da und hatte vielleicht sogar einen Teil ihres Gespräches gehört, wenn nicht alles, aber das war Dulac egal. Er war sogar fast sicher, dass Artus seine wahren Gefühle auf seinem Gesicht lesen konnte oder zumindest erraten, aber auch das war ihm gleich.

»Es tut mir Leid«, sagte Artus. »Aber es ist am besten so, glaube mir.«

»Natürlich, Herr«, sagte Dulac bitter.

»Ich habe dir gesagt, dass ich Merlin mein Wort gegeben habe, mich um dich zu kümmern«, fuhr Artus fort, »und

ich werde dieses Wort halten. Ich weiß, dass du es jetzt noch nicht verstehen kannst, aber eines Tages wirst du es, glaube mir, und dann wirst du mir dankbar sein.«
»Und bis dahin muss ich Camelot verlassen«, vermutete Dulac.
»Ich habe lange darüber nachgedacht und ich glaube, es ist das Beste so«, sagte Artus. »Heute in vier Tagen ist Vollmond und dann werden wir Merlin zu Grabe tragen. Ich nehme an, es ist dein Wunsch, dabei zu sein?«
Dulac nickte und Artus fuhr nach einer kurzen Pause fort: »Dann wirst du es natürlich auch dürfen«, sagte er. »Anschließend aber werde ich dich nach York schicken. Du kennst Sir Daikin noch? Er war im letzten Jahr zu Gast auf Camelot.«
»Ich erinnere mich«, sagte Dulac.
»Sir Daikin ist einer meiner ältesten und verlässlichsten Freunde. Er wird sich um deine Ausbildung kümmern. Du wirst als Knappe an seinem Hof aufgenommen, und wenn du dich der Ausbildung gewachsen zeigst und es willst, dann werden wir uns vielleicht in einigen Jahren wieder sehen, wenn du zum Ritter geworden bist. Das wolltest du doch immer, oder?«
Dulac antwortete nicht darauf. Er starrte Artus noch einige Herzschläge lang an, dann wandte er sich um und rannte davon.

Innerlich hundertmal mehr aufgewühlt als nach seinem Kampf gegen die Pikten rannte Dulac fast den gesamten Weg zum Gasthaus zurück, bis er vor Erschöpfung einfach nicht mehr konnte und kraftlos gegen eine Wand taumelte. Er spürte einen Schmerz, wie er ihn niemals zuvor im Leben kennen gelernt hatte, aber auch einen Zorn von einer Heftigkeit, die ihm neu war und die ihn erschreckte. Es war so ... so ungerecht!

Natürlich war das Leben niemals gerecht. So etwas wie Gerechtigkeit gab es nur für die Reichen und Mächtigen und selbst für die meist nur, wenn sie es sich mit dem Schwert erzwangen. Aber was ihm nun widerfuhr, das war einfach zu viel, als dass er es noch hinnehmen konnte. Binnen weniger Tage hatte er alles verloren, was er jemals besessen hatte, ja mehr, als er jemals zu besitzen *geahnt* hatte. Seine Freunde, sein Leben, seine Zukunft, ja selbst einen Teil seiner Seele, die ihm diese verfluchte Rüstung genommen hatte. Und Artus hatte ihn nun selbst um den Preis betrogen, gegen den er seine Unschuld eingetauscht hatte. Ebenso gut hätte der König auch sein Messer ziehen und ihm die Kehle durchschneiden können.

Tatsächlich machte sich Dulac klar, dass er im Grunde noch großes Glück gehabt hatte. Artus hätte durchaus das ganz legitime Recht gehabt, ihn zu töten. Er war in der Schlacht von seiner Seite desertiert und er hatte Lady Gwinneth belästigt, die immerhin von edlem Blut war. Jedes einzelne dieser Verbrechen war mehr als ausreichend, ihn an den Galgen zu bringen. Dennoch beließ Artus es dabei, ihn aus Camelot zu verbannen, und er gewährte ihm noch dazu eine Ausbildung, wie er sie sich vor wenigen Tagen nicht einmal zu erträumen gewagt hätte.

Und dennoch verachtete er Artus für das, was er getan hatte. Es wäre ihm fast lieber gewesen, hätte der König ihn getötet.

Es dauerte lange, bis er wieder so weit zu Atem gekommen war, dass er seinen Weg fortsetzen konnte. Das Gasthaus war verlassen, Tander und seine Söhne waren wohl schon auf Camelot um ihren neuen Arbeitsplatz zu besichtigen – was vermutlich nichts anderes hieß, als dass sie Dagdas Sachen durchwühlen und alles stehlen würden, was nicht niet- und nagelfest war. Dulac hätte Artus warnen können; schließlich kannte er Tander lange genug um zu wissen, was geschehen würde. Aber wozu? Artus würde es noch früh genug merken.

Außerdem geschah es ihm recht.

Statt ins Haus zu gehen betrat Dulac die Scheune und erwartete ganz automatisch Wolf zu sehen, der schwanzwedelnd auf ihn zukam und ihn ankläffte, um sich seine täglichen Streicheleinheiten zu ertrotzen. Aber der Hund kam nicht und zu dem Schmerz in Dulacs Herzen gesellte sich noch ein weiterer, glühender Pfeil, als ihm klar wurde, dass er das kleine Tier vielleicht niemals mehr wieder sehen würde. Was hatte er dem Schicksal getan, dass es ihm alles, aber auch wirklich *alles* wegnahm?

Er ließ sich ins Stroh fallen und betete, dass er einschlief oder auch in Ohnmacht fiel (seine Schulter schmerzte mittlerweile schlimm genug), aber er fand keine Ruhe. Bis weit in den Nachmittag hinein, bis Tander und seine Söhnen zurückkamen, wälzte er sich ruhelos herum, haderte mit dem Schicksal und stürzte manchmal in tiefste Verzweiflung, manchmal in einen so brodelnden Zorn, dass er am liebsten aufgesprungen und zur Burg zurückgelaufen wäre um sich auf Artus zu stürzen.

Vor allem aber kam er zu einem Entschluss.

Er würde Camelot verlassen, aber nicht um nach York zu gehen und sich zum Ritter ausbilden zu lassen. Er war es Dagda schuldig, bis zu seiner Beisetzung zu warten und

ihm die letzte Ehre zu erweisen, doch danach würde er Camelot verlassen, vielleicht sogar Britannien, und nie wieder zurückkommen.
Nie mehr.

Er verbrachte die nächsten drei Tage im Gasthaus, und auch wenn ihn seine verletzte Schulter noch immer behinderte, so arbeitete er doch freiwillig und ohne dass Tander ihn dazu auffordern musste, bis er dem Zusammenbruch nahe war. Am Schluss schien es selbst Tander unheimlich zu werden, denn statt ihn wie üblich mit Vorwürfen zu überhäufen, forderte er ihn auf, etwas weniger zu tun, angeblich, weil er sich um seine Gesundheit sorgte, in Wahrheit aber wohl eher, weil selbst er wusste, dass Dulac drauf und dran war sich zu Tode zu schuften und ihm seine Arbeitskraft dann auf Dauer verloren ginge. Dulac beachtete seine Warnung jedoch gar nicht. Er versuchte sich mit Arbeit zu betäuben und bis zu einem gewissen Grad gelang es ihm sogar. Selbst die Träume verschonten ihn weitestgehend, schon weil er jeden Abend buchstäblich bis zum Umfallen schuftete und sein Schlaf mehr einer Bewusstlosigkeit nahe kam.
Am Morgen des vierten Tages holte ihn die Wirklichkeit ein.
Jemand rüttelte ihn grob wach, und als er stöhnend und unwillig die Augen öffnete, blickte er in Tanders Gesicht. Er sah einigermaßen lächerlich aus, denn er trug ein schmuddeliges Nachthemd und dazu eine Schlafmütze mit einem Zipfel. »Steh auf, Faulpelz«, knurrte er. »Ein Bote vom Schloss ist da. Du sollst zum König kommen. Sofort.«

»Zum König?« Dulac stemmte sich aus dem Stroh hoch und blinzelte verschlafen zu Tander hinauf. »Warum?«
»Woher soll ich das wissen?«, schnauzte Tander. »Steh gefälligst auf. Er hat gesagt, du sollst dich beeilen. Und lass dir ja nicht einfallen, den ganzen Tag herumzutrödeln, als wäre hier nichts zu tun.«
Damit ging er. Dulac blieb noch eine Weile in unveränderter Haltung im Stroh sitzen und wartete darauf, dass seine Benommenheit verflog. Der König ließ ihn rufen? Nachdem er ihn vor wenigen Tagen praktisch der Burg verwiesen hatte, verstand er das im ersten Moment nicht. Dann fiel ihm ein, welcher Tag heute war, und ein Gefühl tiefer Trauer überkam ihn.
Er stand auf, zog sich an und verließ die Scheune. Die Sonne war noch nicht aufgegangen und nach den ersten hektischen Tagen war das Leben in Camelot wieder zu seinem normalen Verlauf zurückgekehrt. Die Stadt schlief noch und es war fast unheimlich still.
Und noch etwas war wieder wie beinahe immer: Als er ein paar Minuten unterwegs war, erschienen drei schattenhafte Gestalten vor ihm und vertraten ihm den Weg.
»Was wollt ihr?«, fragte Dulac kurz angebunden. »Verschwindet! Ich habe heute keine Zeit für euch.«
Statt den Weg jedoch freizugeben nahm Mike breitbeinig vor ihm Aufstellung und verschränkte herausfordernd die Arme vor der Brust. Evan und Stan postierten sich rechts und links von ihm.
»Nicht so hastig«, grinste Mike. »Was soll das heißen, du hast keine Zeit für uns? Für gute Freunde hat man immer Zeit. Oder hast du gar etwas Wichtigeres vor? Vielleicht einen Besuch beim König?«

»Du hast es erraten«, antwortete Dulac in einem Ton, der weitaus sicherer klang, als er sich in Wahrheit fühlte. Die drei waren auf Streit aus und er war ihnen mit seiner verletzten Schulter eindeutig nicht gewachsen.

»Irgendwie fällt es mir schwer, zu glauben, dass du zum König willst«, griente Mike. »Ich habe gehört, du wärst bei ihm in Ungnade gefallen.«

Schlechte Nachrichten machen schnell die Runde, dachte Dulac, darin unterschied sich Camelot offenbar von keiner anderen Stadt auf der Welt. Laut sagte er: »Da hast du offenbar was Falsches gehört. Gib den Weg frei – oder soll ich Artus sagen, dass ich zu spät komme, weil ihr mich aufgehalten habt?«

»Artus, hört, hört«, sagte Mike lauernd. »Er nennt den König also schon beim Namen. Ich frage mich, worüber sie wohl sonst noch so geredet haben.«

Es dauerte noch einen Moment – aber dann begriff Dulac endlich, warum Mike und die beiden anderen ihm aufgelauert hatten. Sie waren nicht gekommen, um sich einen ihrer wenig lustigen Scherze mit ihm zu erlauben oder ihn aus purer Langeweile zu verprügeln, wie sie es manchmal in der Vergangenheit getan hatten, sondern aus einem viel ernsteren Grund.

Nachdenklich sah er Evan an. Er war ein wenig enttäuscht von ihm, hatte er doch geglaubt, das Eis zwischen ihnen wenigstens ein bisschen gebrochen zu haben, und Evan besaß immerhin den Anstand, den Kopf zu senken und seinem Blick auszuweichen. Trotzdem wirkte er auf eine grimmige Art ebenso entschlossen wie die beiden anderen. Die drei Jungen waren nicht gekommen, weil sie nichts mit ihrer Zeit anzufangen wussten, sondern weil sie in den zurückliegenden fünf Tagen buchstäblich Todesängste ausgestanden hatten. Nicht ganz zu Unrecht.

»Ich habe Artus nichts gesagt, wenn es das ist, was ihr wissen wollt«, sagte er.

»Gesagt? Worüber?«

»Über eure kleine Verabredung mit den Pikten«, antwortete Dulac. Tatsächlich hatte er keine Sekunde lang daran gedacht, Evan und die beiden anderen zu denunzieren. Artus hätte sie zweifellos auf der Stelle hinrichten lassen, und auch wenn er ihnen in der Vergangenheit oft genug die Pest an den Hals gewünscht hatte, so wollte er doch nicht ihren Tod. Er war sicher, dass die drei ihre Lektion gelernt hatten.

»Hätte ich etwas gesagt, dann wärt ihr jetzt schon tot«, fügte er hinzu.

»Das ist wohl wahr«, seufzte Mike. Seine Hand kroch unter sein Hemd und blieb dort. »Aber wer sagt uns, dass das auch so bleibt?«

»Ich«, antwortete Dulac.

Mike schüttelte den Kopf. Die Hand unter dem Hemd schloss sich um etwas. Dulac war ziemlich sicher, dass es ein Messer war. »Ich fürchte, das allein reicht nicht«, sagte er. »Wenn du es dir doch noch anders überlegst ...«

Dulac verstand. Er war nicht sicher, was Stan und Evan anging, aber Mike war eindeutig mit dem festen Entschluss hierher gekommen, ihn umzubringen.

Es ging so schnell, dass es ihn selbst überraschte. Dulac drehte sich zur Seite. Seine Stirn prallte so hart gegen Stans Gesicht, dass er das Nasenbein des Jungen brechen hören konnte. Im gleichen Sekundenbruchteil fegte er Evan die Beine unter dem Leib weg, sodass er hilflos zu Boden fiel und schwer mit dem Hinterkopf auf dem harten Kopfsteinpflaster aufschlug. Sofort stieß er den rechten Arm vor. Sein Handballen traf Mikes Kehlkopf und ließ ihn mit einem erstickten Keuchen zusammenbrechen. Während er fiel, glitt seine Hand unter dem Hemd hervor und ein Messer klirrte zu Boden.

Vielleicht war Dulac von allen Beteiligten am meisten überrascht, auf jeden Fall aber zutiefst erschrocken. Es war noch nicht einmal eine Sekunde vergangen und das Schlimme war: Er hatte nichts von alledem wirklich gewollt. Etwas in ihm hatte registriert, dass er in Gefahr war, und mit gnadenloser Konsequenz reagiert.

Dulac ließ sich auf ein Knie herabsinken und untersuchte die drei Jungen flüchtig. Evan hatte das Bewusstsein verloren, atmete aber gleichmäßig und tief, während Stan beide Hände auf seine zerschmetterte Nase presste und wimmernd versuchte das Blut zu stillen, das in Strömen daraus hervorschoss. Am schlimmsten hatte es Mike erwischt. Er strampelte mit den Beinen, warf verzweifelt den Kopf hin und her und versuchte vergeblich zu atmen. Er litt in diesem Moment Höllenqualen, aber Dulac wusste, dass er es überleben würde – auch wenn er vermutlich die nächsten zwei oder drei Wochen nur von Suppe und eingeweichtem Brot würde leben müssen.

Wenigstens hatte er keinen der drei umgebracht.

Dulac schauderte, als ihm klar wurde, dass er auch diesen Gedanken ohne das mindeste Gefühl dachte. Sein Leben war bedroht worden. Jemand hatte ihn angegriffen und er hatte sich gewehrt mit allen ihm zur Verfügung stehenden Mitteln, so einfach war das.

Was um alles in der Welt hatte diese verfluchte Rüstung ihm angetan?
»Du brauchst keine Angst zu haben«, sagte er. Er wusste nicht, ob Mike ihn überhaupt hörte, aber er war es schon sich selbst schuldig, diese Worte auszusprechen. »Ich werde euch nicht verraten. Aber überlegt es euch in Zukunft genau, mit wem ihr euch einlasst.«
Mike rang mit einem schrecklichen Geräusch nach Atem und bekam endlich etwas Luft und Stan drehte sich wimmernd auf die Seite, zog die Knie an den Leib und spuckte Blut.

Camelot war von Dutzenden von Fackeln taghell erleuchtet, als er die Burg erreichte. Ein gutes Dutzend aufgezäumter Pferde stand auf dem Hof und eine deutlich größere Anzahl Ritter – unter ihnen auch Artus, Galahad und Parzifal – stand in voller Rüstung dabei und sah den Dienstboten zu, wie sie die Packpferde beluden und Geschirr und Schabracken der Schlachtrösser kontrollierten. Eine fühlbare Aufbruchstimmung lag über dem Hof, zugleich aber auch eine deutlich spürbare Spannung.
Nur einen Moment später wurde aus dem Gefühl Gewissheit, denn nachdem Dulac sich zu Artus durchgekämpft hatte, platzte er mitten in einen Streit zwischen ihm und Sir Lioness hinein.
Der Tafelritter stand in voller Rüstung und Waffen da wie die meisten anderen und sein Gesicht hatte sich vor Zorn fast dunkelrot gefärbt. »Das kann nicht Euer Ernst sein, Artus!«, polterte er. »Ich bitte Euch, überlegt es Euch noch einmal!« Seine Stimme klang nicht nach dem Wort bitte, das er benutzt hatte. Er sah im Gegenteil so aus, als

hätte er gute Lust, seine Waffe zu ziehen und die Diskussion mit anderen Argumenten fortzusetzen.
Artus blieb ruhig. Er begrüßte Dulac mit einem flüchtigen Kopfnicken und wandte sich dann wieder zu Lioness um. »Es gibt nichts, worüber ich nachdenken müsste«, antwortete er. »Und es gibt auch nichts, was Eure Erregung rechtfertigte, Sir Lioness. Wir erweisen einem Freund und treuen Weggefährten die letzte Ehre. Wir alle haben Merlin viel zu verdanken. Fast alles. Auch Ihr, mein Freund.«
Lioness fuhr zusammen, als er den kaum versteckten Vorwurf in Artus' Worten registrierte. Er warf Dulac einen kurzen, zornsprühenden Blick zu, ehe er antwortete, fast als gäbe er ihm die alleinige Schuld an der Auseinandersetzung mit Artus.
»Niemand bestreitet Merlins Verdienste um Camelot«, antwortete er. »Er war ein großer Mann und der treueste Freund, den man sich nur wünschen kann. Aber Ihr seid nicht nur ein Freund und Ritter, Artus. Ihr seid auch König. Die Menschen schauen auf das, was Ihr tut.«
»Eben darum bin ich es Merlin schuldig, ihm diesen letzten Freundschaftsdienst zu erweisen«, antwortete Artus ruhig. »Was sollen die Menschen von einem König halten, der seinem treuesten Diener die letzte Ehre verweigert?«
»Einen heidnischen Ritus!«, grollte Lioness. »Das ist Gotteslästerung, Artus.«
Der König seufzte. Er sah nicht ärgerlich aus, sondern ein wenig enttäuscht. »Mein Entschluss steht fest, Sir Lioness«, sagte er. »Nennt es einen Abschied, wenn Ihr wollt. Merlin war der letzte der alten Magier und wir werden ihn auf die Weise beerdigen, die er sich gewünscht hat, heute Nacht, im Schein des Vollmondes im Cromlech. Es wird

wohl der letzte ...« Er verzog die Lippen zu einem bitteren Lächeln, »... *Ritus* dieser Art sein. Ich kann Euch verstehen, Sir Lioness. Auch ich kenne die Bibel und weiß, was unser aller Herr über Götzen und heidnischen Glauben sagt. Tut es für Merlin.«

Sir Lioness schwieg. Einen Moment lang starrte er Artus an, dann sah er aus blicklosen Augen an ihm vorbei ins Leere. Schließlich nickte er.

»Ich werde Euch begleiten«, sagte er. »Ich werde für Euer Seelenheil beten, Artus, und das aller, die Euch begleiten. Vielleicht erbarmt sich Gott der Herr und vergibt Euch Eure Sünden.«

Er fuhr auf dem Absatz herum und ging und Artus blickte ihm kopfschüttelnd nach. Er sagte jedoch kein Wort mehr, sondern drehte sich zu Dulac herum und zauberte ein müdes, aber sehr ehrliches Lächeln auf sein Gesicht. »Ich bin froh, dass du gekommen bist«, sagte er. »Ich war nicht sicher.«

»Herr?«

»Du wolltest davonlaufen«, sagte Artus. »Du hasst mich für das, was ich dir antue, und du hast in den letzten Tagen über nichts anderes nachgedacht. Am liebsten würdest du mir die Kehle durchschneiden.« Er berührte lächelnd die Stelle an seinem Hals, wo Dulac ihn verletzt hatte. »Außerdem bist du fest entschlossen, nicht nach York zu gehen.«

»Könnt Ihr ... könnt Ihr meine Gedanken lesen?«, fragte Dulac verdattert.

»Sie stehen auf deiner Stirn geschrieben«, behauptete Artus. »Außerdem war ich auch einmal so alt wie du, auch wenn du es vielleicht nicht glauben magst. Tu nichts, was du später bedauern würdest, Dulac. Die Welt ist groß und sie lockt mit Abenteuern. Drachen sind zu erschlagen – oder auch Könige, je nachdem – und Jungfrauen zu befreien. Aber glaube mir: Was dich dort draußen erwartet, das sind Leid, Schmerz und Tod. Du wirst dort draußen keine Schätze finden, sondern wahrscheinlich einen Dolch, der dir die Kehle durchschneidet.«

Dulac war zutiefst verwirrt, nicht einmal so sehr über das, was Artus sagte, sondern vielmehr darüber, dass er es sagte. Wer war er gegen den König? Artus hatte es wahrlich nicht nötig, sich vor ihm zu rechtfertigen oder ihm irgendetwas zu erklären. Wieso war er plötzlich so wichtig für den König?

»Es wird Zeit«, sagte Artus. »Ich habe ein Pferd für dich satteln lassen. Du kennst es, glaube ich.« Er lächelte flüchtig. »Du versprichst mir, uns auch auf dem Rückweg zu begleiten?«

»Ja«, antwortete Dulac. Es fiel ihm nicht leicht, dieses Versprechen zu geben, aber er meinte es ehrlich.

»Dann geh zu deinem Pferd«, sagte Artus. »Wir haben einen langen Weg vor uns und nicht sehr viel Zeit.«

Sie brachen nur kurze Zeit später auf. Der Tross, der bei Sonnenaufgang durch das nördliche Tor der Stadt ritt, war kaum weniger groß und prachtvoll anzuschauen als der, mit dem Dulac vor einigen Tagen schon einmal aus der Stadt geritten war, bestand aber nun aus sehr wenigen Rittern, dafür aber umso mehr Packpferden und Bediensteten, die – zusammen mit Dulac – in einigem Abstand hinter Artus und den Tafelrittern die Stadt verließen.

Abgesehen von Dulac selbst und Sir Lioness waren es nur Sir Galahad, Sir Braiden, Sir Gawain und Sir Leodegranz;

alle anderen waren erst gar nicht auf dem Hof erschienen oder hatten mehr oder weniger fadenscheinige Vorwände gefunden, sie nicht zu begleiten. Dulac hatte den ihm zugewiesenen Platz ganz am Ende der Kolonne eingenommen, aber es gelang ihm dennoch, einen Blick auf Artus' Gesicht zu erhaschen. Es wirkte auf den ersten Blick ungerührt und unnahbar, aber Dulac kannte den König vielleicht besser als viele der Männer, die an seiner Tafel saßen, und ihm entging die Mischung aus Enttäuschung und brodelndem Zorn in dessen Augen keineswegs. Von mehr als fünfzig Rittern waren ihm gerade einmal fünf gefolgt und Sir Lioness galt nicht, denn er hatte keine Zweifel an seinen Beweggründen gelassen. Artus musste zutiefst enttäuscht sein. Während sie sich im Hof zum Abmarsch formierten, hatte er noch die schwache Hoffnung gehegt, dass vielleicht auch Gwinneth sich dem sonderbaren Trauerzug anschließen würde, aber sie hatte sich nicht erfüllt. Gwinneth hatte ihm ja – als er in der Maske des Lancelot steckte – selbst anvertraut, dass auch sie eine Anhängerin des alten Glaubens war, und er hatte gehofft, dass sie Merlin auf seinem letzten Weg begleiten würde. Aber vermutlich war dies viel zu anstrengend und viel zu gefährlich für sie. Dulac verstand nicht ganz, dass Artus das Risiko einging, mit nur so wenigen Bewaffneten die Burg zu verlassen. Immerhin befanden sie sich mitten in einem Krieg, auch wenn dieser im Moment den Atem anzuhalten schien.

Sie trafen jedoch weder auf Pikten noch auf irgendwelche anderen Feinde und abgesehen von der ersten Stunde nach dem Verlassen der Stadt auf gar keine Menschen mehr.

Der Trauerzug hatte sich zuerst nach Norden gewandt, fast genau in dieselbe Richtung, in die Dulac Tage zuvor auf dem Einhorn geritten war. Nach etwas mehr als einer Stunde jedoch änderten sie ihren Kurs ein wenig und ritten nun zwar immer noch nach Norden, aber auch in westliche Richtung, sodass sie sich von der Küste weg und mehr ins Landesinnere bewegten.

Allmählich begann sich ihre Umgebung zu verändern. Dulac konnte den Unterschied anfangs kaum in Worte fassen, aber dafür spürte er ihn umso deutlicher. Sie drangen in einen Teil des Landes ein, in dem es keine Menschen gab, aber es war, als spüre er vielmehr die Anwesenheit von etwas Fremdem und weniger die Abwesenheit von Menschen. Aber vielleicht war es ja etwas, das nur da war, weil es hier keine Menschen gab.

Dulac versuchte den Gedanken zu verscheuchen. Solcherlei Überlegungen waren nicht nur närrisch, sie führten auch zu nichts.

Was jedoch blieb, war die Tatsache, dass sie sich tiefer und tiefer in einen unwirtlichen Teil des Landes hineinbewegten. Ihre Umgebung bestand zum größten Teil aus Wald- und Sumpfgebieten, die einander abwechselten und manchmal ineinander übergingen, sodass man kaum sehen konnte, wo das eine aufhörte und das andere begann. Auch kam wieder Nebel auf, obwohl weder die Witterung noch die Tageszeit dafür war.

Trotzdem verringerte sich ihre Geschwindigkeit nicht. Ihr Ziel musste wohl wirklich sehr weit entfernt sein, denn Artus, der vorausritt, legte ein geradezu halsbrecherisches Tempo vor. Die Sicherheit, mit der er sein Pferd durch den Sumpf lenkte, an diesem Busch nach links auswich,

um jenen Baum einen großen Bogen schlug oder scheinbar sicheren Boden in einigem Abstand umging, machte Dulac klar, dass er diesen Weg nicht zum ersten Mal nahm.
Sie ritten ohne Pause bis zur Mittagsstunde, ehe Artus mit sichtlichem Widerwillen das Zeichen zum Anhalten gab und ihnen eine kurze Rast gestattete, nach der sie weiterritten, um auch noch den Nachmittag im gleichen, schnellen Tempo zurückzulegen. Als es zu dämmern begann, wurde das Land immer steiniger und härter und der Boden begann allmählich anzusteigen, sodass sie langsamer vorwärts kamen. Eine Landschaft aus zerschrundenen Felsen und jäh aufsteigenden Hügeln, die selten eine Höhe von mehr als zwanzig Metern erreichten und somit nicht einmal so hoch waren wie die Türme Camelots, aber so steil und unbesteigbar, dass sie wie ein Gebirge wirkten – und so abweisend und fremd wie ein Teil einer vollkommen anderen Welt, in der Menschen nicht erwünscht waren.
Diese unheimliche Welt erfüllte die Männer mit Furcht. Dulac las es deutlich in den Gesichtern seiner Begleiter und ihm selbst erging es auch nicht viel besser. War ihm die nebelverhangene Sumpflandschaft, durch die sie einen großen Teil des Tages geritten waren, noch auf sonderbare Weise vertraut vorgekommen, so erfüllten ihn die harten Linien, die schwarzen Schlagschatten und jäh aufklaffenden Abgründe und Spalten mit Angst. Er war sehr froh, als Artus endlich das Zeichen zum Anhalten gab und sie ihre Pferde zügelten – was aber nur für Dulac und die anderen Mitglieder des Begleittrupps galt, nicht für Artus und seine Ritter. Der König lenkte sein gepanzertes

Schlachtross zu ihnen zurück, während Lioness und die vier anderen Ritter in den Sätteln blieben.
»Schlagt das Nachtlager auf«, befahl Artus. »Wir sind in zwei, längstens drei Stunden zurück. Entzündet ein Feuer und stellt Wachen auf. Es gibt wilde Tiere hier und möglicherweise auch Räuber.« Er machte eine abwehrende Bewegung, als Dulac sich wie alle anderen aus dem Sattel schwingen wollte. »Du nicht. Ich brauche deine Hilfe. Bereitet ein Mahl vor. Wir werden hungrig sein, wenn wir zurückkehren.«
Dulac lenkte sein erschöpftes Tier in Artus' Richtung und hielt abermals an, als Artus unwillig den Kopf schüttelte. Zugleich deutete er mit einer herrischen Geste auf das Packpferd, über dessen Sattel der schlichte Leinensack gelegt war, der Dagdas sterbliche Überreste enthielt. Dulac verstand. Dazu also brauchte ihn Artus.
Er ritt zurück, ergriff die Zügel des Packpferdes und machte wieder kehrt um sich Artus anzuschließen. Er hatte damit gerechnet, dass der König bereits wieder zu Lioness und den anderen Rittern zurückkehrte, die in zwanzig oder dreißig Metern Entfernung warteten und bereits deutliche Zeichen von Ungeduld zeigten. Artus wartete jedoch auf ihn und er wendete sein Pferd erst, als Dulac neben ihm angekommen war. Dann sagte er etwas sehr Seltsames:
»Was immer du von jetzt an siehst oder hörst, du wirst niemandem davon erzählen.«
»Bestimmt nicht, Herr«, antwortete Dulac. »Aber warum –?«
»Es ist besser so«, unterbrach ihn Artus. »Du wirst mich verstehen, wenn wir unser Ziel erreicht haben. Es ist nicht mehr sehr weit.«

Dulac musste sich mit dieser Antwort zufrieden geben, aber sie war nicht unbedingt dazu angetan, ihn zu beruhigen.

In respektvollem Abstand folgte er Artus. Der König setzte sein Pferd wieder an die Spitze des jetzt nur noch sieben Köpfe zählenden Trupps. Sir Gawain nickte Dulac müde zu, aber die anderen nahmen nicht einmal Notiz von ihm – sah er von Sir Lioness ab, der ihm einen raschen, aber durch und durch feindseligen Blick zuwarf, dessen Grund Dulac nicht verstand.

Sie ritten ohne Pause weiter. Wie Artus gesagt hatte, war der Weg nicht mehr allzu lang, aber Dulac kam er schier endlos vor. Der Pfad wurde bald so schmal, dass sie nur noch hintereinander reiten konnten, und mehr als einmal sah es so aus, als würden sie es gar nicht schaffen. Der Pfad schlängelte sich in immer enger werdenden Kehren und Windungen zwischen den Felsen hindurch und wurde immer steiler und der Boden war mit Felsbrocken und Spat übersät, auf denen die Pferde kaum Halt fanden und nur zu oft ausglitten und zu stürzen drohten.

Doch dann änderte sich ihre Umgebung schlagartig. Sie hatten einen der steilen Felshügel erklommen und Dulac erwartete etwas wie eine kahle Hochebene oder eine mit Felsbrocken übersäte Einöde, doch das genaue Gegenteil war der Fall: Vor ihnen lag ein dichter, wuchernder Wald, durch den nur ein schmaler Pfad führte. Artus ritt ohne zu zögern weiter, aber Dulac sah, dass die anderen Ritter zusammenfuhren und sich erschrocken ansahen.

Vielleicht war Dulac der Einzige, der von der schleichenden Furcht unberührt blieb, die die Herzen der Männer ergriffen zu haben schien. Die Ritter – selbst Artus – sahen immer nervöser nach rechts und links und Dulac konnte diese Nervosität durchaus nachvollziehen, aber ein anderer Teil von ihm schien regelrecht aufzuatmen. Der Wald, durch den sie ritten, war schwärzer als die Nacht. Das wenige Licht, das durch das dichte Blätterdach hoch über ihren Köpfen drang, reichte gerade aus, um einen unsicheren silbrigen Schein auf den schmalen Pfad zu werfen, versickerte aber schon nach einer Handbreit im dichten Unterholz und Blattwerk des Waldes, so spurlos und schnell, als lauere irgendetwas in diesem Wald, das das Licht regelrecht auffraß. Auch dieser Gedanke sollte Dulac Angst machen, aber er bewirkte das Gegenteil. Dulac fühlte sich ... geborgen. Irgendeine unheimliche, düstere Macht lauerte in diesem Wald, aber so intensiv er ihre Anwesenheit auch spürte, fühlte er auch gleichzeitig, dass diese Macht ihm nicht feindlich gesonnen war.

Endlich wurde es vor ihnen wieder hell. Artus ritt ein wenig schneller und nach wenigen Augenblicken schon ritt Dulac als Letzter auf eine weite, oval geformte Lichtung hinaus. Sie musste fünf- oder sechshundert Schritte in ihrer größten Ausdehnung messen und war an allen Seiten von dem gleichen undurchdringlichen Wald umgeben, durch den sie gerade gute zehn Minuten geritten waren, und war somit ungleich größer, als sie eigentlich sein konnte. Dulac verschwendete daran jedoch im ersten Augenblick nicht einmal einen Gedanken. Er war viel zu sehr damit beschäftigt, den gewaltigen Steinkreis anzustarren, der sich im Zentrum der Lichtung erhob.

Jeder der gewaltigen Menhire musste gute fünf Meter hoch sein und Dutzende von Tonnen wiegen. Die riesigen Pfeiler aus sorgsam bearbeitetem Granit bildeten einen

perfekten Kreis, in dessen Zentrum sich etwas erhob, das Dulac über die große Entfernung nicht richtig erkennen konnte, von dem er aber tief in sich spürte, dass es etwas Großes und Heiliges war und etwas sehr Machtvolles.
Er erinnerte sich daran, wie Artus diesen Platz genannt hatte: Cromlech. Das war das Wort, das er benutzt hatte. Cromlech ...
Dulac wiederholte es ein paar Mal in Gedanken und es verlor dabei nichts von seinem zugleich unheimlichen wie sonderbar vertrauten Klang. Was immer dieses Wort bedeutete – es lag vor ihnen.
Artus hob die rechte Hand und gab damit das Zeichen zum Anhalten. Sir Lioness zügelte sein Pferd so abrupt, als wäre er vor eine unsichtbare Wand geprallt, und wankte tatsächlich für einen kurzen Moment im Sattel, während die übrigen Ritter zu Artus aufschlossen und sich zu einem lockeren Kreis um ihn formierten. Wahrscheinlich war es nicht wirklich so – aber Dulac hatte das Gefühl, dass sie sich um den König stellten um ihn zu schützen. Aber wovor?
Als er an Sir Lioness vorbeiritt, warf er einen kurzen Blick auf dessen Gesicht. Die Züge des Tafelritters schienen zu Stein erstarrt zu sein. »Häresie«, murmelte er. »Das ist Häresie.«
Dulac hätte fast geantwortet, aber dann begriff er, dass die Worte nicht ihm galten. Sir Lioness hatte seine Anwesenheit wahrscheinlich gar nicht bemerkt. Sein Blick war starr auf den Steinkreis gerichtet, und was Dulac darin las, das ließ ihn bis ins Innerste erschauern. Es war Furcht, eine Furcht, der sich auch Dulac nicht gänzlich entziehen konnte, denn der Steinkreis strahlte etwas unbeschreiblich

Finsteres und Abweisendes aus. Dulac senkte hastig den Blick und beeilte sich an Artus' Seite zu kommen, aber Sir Lioness' Blick blieb weiterhin vor seinen Augen.
Artus sah kurz zur Seite, als er Dulacs Näherkommen registrierte, dann nickte er und stieg mit müde wirkenden Bewegungen aus dem Sattel. Die anderen Ritter und auch Dulac taten es ihm gleich, einzig Sir Lioness blieb reglos und stocksteif aufgerichtet im Sattel.
Artus trat an das Packpferd heran und hob Dagdas in Leinen gehüllten Körper aus dem Sattel. Sir Braiden wollte ihm helfen, aber Artus schüttelte fast zornig den Kopf und drehte sich herum. Hoch aufgerichtet und scheinbar ohne das Gewicht des toten Magiers auf seinen Armen zu spüren, ging er auf den Steinkreis zu. Sir Braiden und die anderen Ritter folgten ihm, nur Dulac machte einen einzelnen zögernden Schritt und blieb dann wieder stehen. Er fragte sich, warum Artus ihn überhaupt mitgenommen hatte. Sir Lioness war nicht der Einzige, der nicht hierher gehörte.
»Worauf wartest du?«, fragte Artus.
»Ich ... ich weiß nicht, Herr, ob ... ob ich ...«, stotterte er.
»Ob du hierher gehörst?« Artus nickte. »Vielleicht mehr als jeder andere. Es wäre Merlins Wunsch gewesen, dass du ihn auf seinem letzten Weg begleitest.«
Er ging weiter ohne Dulacs Antwort abzuwarten.
Je näher sie dem Steinkreis kamen, desto unbehaglicher wurde Dulac zu Mute. Es war nicht nur die Größe der tonnenschweren Menhire, die zu einem Kreis von gut zwanzig Schritten Durchmesser aufgestellt waren. Sie strahlten eine spürbare Aura von *Alter* aus. In den schwarzen Granit waren verschlungene Schriftzeichen und Sym-

bole eingemeißelt, die ihn an jene erinnerten, die er in Malagon gesehen hatte, aber weitaus kunstvoller waren. Auch sie waren nur Kopien der Runen, die er auf dem Schwert und der silbernen Rüstung gesehen hatte, aber statt grobe Imitationen zu sein, kamen sie ihren Vorbildern schon recht nahe. Dulac nahm sich vor, Artus nach ihrer Bedeutung zu fragen, sobald das Zeremoniell vorüber war. Wenn es jemand wusste, dann er.

Als sie näher kamen, erkannte er auch das Objekt im Zentrum des Steinkreises. Es war ein gewaltiger, quaderförmiger Block, der aus demselben Material bestand wie die Menhire, aber auf der Seite lag und so eine Art Altar bildete. Auch er war mit Runen und unheimlichen Symbolen übersät, die sich im bleichen Licht des Mondes zu bewegen schienen.

Natürlich war das nicht möglich. Dulac versuchte den Gedanken als lächerlich abzutun, aber ganz gelang es ihm nicht. Je näher sie dem Steinkreis kamen, desto deutlicher spürte er, dass da tatsächlich etwas war. Dieses uralte Heiligtum bestand aus mehr als Stein und uralten Schriftzeichen. Es war ein heiliger Ort, ein Ort, der eine Seele und einen Geist und vielleicht auf seine ganz eigene Art sogar ein Bewusstsein hatte.

Artus schritt langsam zwischen den gewaltigen Steinsäulen hindurch, näherte sich dem Altar und legte Dagda behutsam davor auf den Boden. Dann zog er sein Messer und trennte mit einer raschen Bewegung das Leinentuch auf, in das der Leichnam eingehüllt war.

Dulacs Herz zog sich schmerzhaft zusammen, als er Dagda erblickte. Aber so grausam sein Tod gewesen war, hatte er doch keine Spuren in seinem Gesicht hinterlassen. Es wirkte entspannt und auf seinen Lippen schien sogar die Andeutung eines Lächelns zu liegen. Wäre er nicht in Dulacs Armen gestorben, hätte er erwartet, dass er im nächsten Moment die Augen aufschlug und sich aufsetzte.

Artus richtete sich wieder auf und legte Dagdas Körper auf den Altar. Dann trat er zurück, schloss für einen Moment die Augen und hob den Blick dann zum Himmel.

Lange Zeit stand er vollkommen reglos so da und blickte den Mond an, der zu einem vollkommenen Kreis gerundet über dem Cromlech stand. Er schien auf irgendetwas zu warten, aber Dulac konnte nicht sagen worauf. Verstohlen sah er aus den Augenwinkeln zu Sir Gawain hin, aber der Tafelritter wirkte ebenso ratlos wie er. Außer Artus selbst schien niemand zu wissen, worauf der König wartete.

Und irgendetwas ... geschah.

Es war nicht zu sehen, nicht zu hören oder mit irgendeinem seiner anderen normalen menschlichen Sinne wahrzunehmen, aber dafür spürte Dulac es umso deutlicher. Etwas an der unheimlichen Aura, die über dem Cromlech lag, begann sich zu verändern. Plötzlich war da eine Stimmung von ... *Erwartung*.

Dulac sah sich schaudernd um, aber sosehr er die unheimliche Veränderung auch spürte, seine Augen sahen doch nichts Außergewöhnliches. Die Ritter standen in einem lockeren Dreiviertelkreis da, in dessen Zentrum sich Artus und der Altarstein befanden, und sahen ebenso hilflos und leicht verängstigt aus, wie Dulac sich selbst fühlte. Auf der anderen Seite war Sir Lioness nun doch aus dem Sattel gestiegen und hatte sich neben seinem Pferd niedergekniet um zu beten. Der Wald lag schwarz wie eine undurchdringliche Mauer ringsum da. Der Weg, über den sie

die Lichtung betreten hatten, war von der Nacht verschlungen worden.
Dann sah Dulac doch etwas.
Es war nur ein flüchtiges Blitzen, kürzer als ein Wimpernschlag, als hätte sich ein Lichtstrahl auf Metall gebrochen. Dulac sah genauer hin und das silbrige Blitzen wiederholte sich. Es war Metall, irgendwo am Waldrand, dort, wo kein Metall sein durfte.
Dulac wollte sich an Sir Braiden wenden, um ihn auf seine Entdeckung aufmerksam zu machen, entschied sich aber dann dagegen, als er den Ausdruck auf dem Gesicht des Ritters sah. Einen Moment lang zögerte er noch, dann drehte er sich um, verließ lautlos den Steinkreis und näherte sich mit schneller werdenden Schritten dem Waldrand.
Im ersten Moment sah er nichts und glaubte schon, sich doch getäuscht zu haben, aber dann hörte er ein gedämpftes Knacken wie das Brechen eines trockenen Zweiges, und als er in diese Richtung sah, wiederholte sich das Blitzen erneut.
Dulac blickte noch einmal zum Cromlech zurück, dann wandte er sich um und drang mit klopfendem Herzen in den Wald ein. Allerdings war er fest entschlossen, nicht weiter als zwei oder drei Schritte zu gehen. So dunkel, wie es hier drinnen war, bestand selbst dann bereits die Gefahr, die Orientierung zu verlieren und sich hoffnungslos zu verirren.
Im nächsten Moment hatte er die Dunkelheit vergessen.
Vor ihm stand das Einhorn. Es war zur Gänze gepanzert und aufgezäumt und an seinem Sattelgurt hing eine kurze Lanze mit einer silbernen Spitze. Es sah ihn aus seinen

großen, auf unheimliche Weise intelligenten Augen an und stand in vielleicht fünf oder sechs Schritten Entfernung da, drehte sich aber herum und lief ein kleines Stück davon, als Dulac sich zu nähern versuchte. Dann blieb es wieder stehen, drehte den Kopf und sah auffordernd zu ihm zurück. Der Sinn seines Benehmens war eindeutig. Es wollte, dass Dulac ihm folgte.

Dulac zögerte jedoch. Er sah unschlüssig zum Waldrand zurück. Obwohl er nur knapp entfernt war, konnte er ihn kaum noch erkennen. Noch zwei Schritte weiter und er hatte keine Chance mehr, den Rückweg aus eigener Kraft zu finden.

Das Einhorn ließ ein gedämpftes Schnauben hören und Dulac fällte eine Entscheidung und folgte ihm. Er hoffte halbwegs, dass das Tier stehen bleiben und ihm Gelegenheit geben würde, in den Sattel zu steigen. Das Pferd wartete jedoch immer, bis er sich ihm bis auf wenige Schritte genähert hatte, um sich dann wieder ein wenig zu entfernen und erneut stehen zu bleiben.

Auf diese Weise führte es ihn tiefer und tiefer in den Wald hinein. Dulac hatte längst die Orientierung verloren, nicht nur in räumlicher, sondern auch in zeitlicher Hinsicht. Er konnte nicht sagen, wie weit er in den Wald eingedrungen war und ob sie nun eine Minute oder eine Stunde unterwegs waren. Wieder wandte sich das Pferd um und trabte davon und Dulac erwartete, dass es auch diesmal wieder nach wenigen Schritten stehen bleiben würde, damit er aufholen konnte. Stattdessen jedoch begann es plötzlich zu galoppieren und verschwand und Dulac blieb allein zurück.

Doch er war nicht allein. Er hörte Geräusche, dann Stim-

men und identifizierte ohne Probleme die Richtung, aus der sie kamen. Lautlos und mit nahezu angehaltenem Atem schlich er los und erreichte nach wenigen Schritten den Rand einer kleinen Lichtung.
Vor ihm bewegte sich eine Anzahl dunkel gekleideter Gestalten. Er konnte die Stimmen jetzt deutlicher hören, aber trotzdem nicht verstehen. Dennoch identifizierte er die Sprache, in der sich die Männer unterhielten, denn es war noch nicht lange her, dass er sie gehört hatte. Es war Piktisch.
Pikten? Hier?
Es mussten zwei Dutzend sein, wenn nicht mehr, und der Grund ihres Hierseins war Dulac sofort klar. Es war ein Hinterhalt, der Artus und seinen Rittern galt. Irgendwie hatten die Pikten davon erfahren, dass der König hierher kommen würde.
Er musste Artus warnen. Aber wie? Dulac hatte nicht die geringste Ahnung, wo er war und in welche Richtung er reiten musste um zum Cromlech zurückzukommen. Er bezweifelte nicht, dass Artus und seine fünf Begleiter es in einem fairen Kampf selbst mit dieser Übermacht aufnehmen konnten, aber nicht wenn sie in eine heimtückische Falle liefen. Und er konnte sich beim besten Willen nicht vorstellen, dass die Barbarenkrieger Artus und die anderen zu einem ritterlichen Zweikampf herausfordern würden.
Jetzt entstand am gegenüberliegenden Rand der Lichtung Unruhe, dann erschienen zwei Berittene zwischen den Pikten und Dulacs Herz machte einen erschrockenen Sprung. Mordred! Dulac duckte sich tiefer hinter den Busch, hinter dem er Deckung gesucht hatte.
Mordred ritt in die Mitte der Lichtung und hielt an. Du-

lac versuchte seinen Begleiter zu erkennen, aber es gelang ihm nicht. Die Gestalt trug einen weit fallenden Mantel mit einer übergroßen Kapuze, unter der nur Finsternis zu sein schien.

»Seid ihr bereit?«, fragte Mordred.

Die Frage galt einem der piktischen Krieger, der ihm entgegentrat und in gebrochenem Englisch antwortete. »Unsere Krieger sind bereit, Herr. Wir warten noch auf die Rückkehr unserer Späher.«

»Späher? Das ist nicht nötig. Artus hat nur eine Hand voll Krieger bei sich.«

»Wir haben einen zweiten Trupp entdeckt, der jenseits des Waldes lagert«, gab der Pikte zu bedenken.

»Armseliges Bauernpack«, antwortete Mordred abfällig. »Macht euch keine Sorgen. Sie werden es nicht wagen, den Wald auch nur zu betreten. Sie sind noch abergläubischer als ihr.«

»Und Artus?«, fragte der Pikte.

»Was soll mit Artus sein?«, gab Mordred zurück. »Ihr seid mehr als zwei Dutzend. Fürchtet ihr euch vor fünf Männern?«

»Nicht vor fünf Männern«, antwortete der Pikte ruhig. »Aber vor der Magie *eines* Mannes.«

Mordred wollte antworten, aber sein Begleiter kam ihm zuvor, indem er die Kapuze seines Mantels zurückschlug. Dulac erstarrte.

Morgaine le Faye trug dasselbe schwarze Diadem, mit dem er sie nach seinem Kampf gegen die Pikten gesehen hatte, aber ihr Gesicht erschien ihm schmaler und der Ausdruck darauf kälter. In ihren nachtfarbenen Augen blitzte es verächtlich, als sie auf den Pikten herabsah.

»Was ihr fürchtet, ist Merlins Magie, nicht die von Artus«, sagte sie. »Aber Merlin ist tot und seine Magie ist mit ihm vergangen. Das Licht des Mondes wird ihren letzten Rest in die andere Welt hinüberbegleiten. Wartet bis Mitternacht, dann steht ihr einem sterblichen Mann gegenüber, dessen Schwert nicht gefährlicher ist als eure. Aber denkt daran – ich will Artus lebend. Tötet meinetwegen die anderen, aber ihn will ich lebendig.«

»Falls ihr dazu in der Lage seid«, fügte Mordred verächtlich hinzu, was ihm einen ärgerlichen Blick seiner Mutter einbrachte.

»Das werden wir«, antwortete der Pikte. Seine Stimme klang schneidend.

Mordreds Gesicht verdüsterte sich und er setzte zu einer geharnischten Antwort an, aber Morgaine brachte ihn mit einer herrischen Geste zum Schweigen.

»Genug jetzt«, sagte sie scharf. »Ihr solltet aufbrechen. Es ist zwar noch ausreichend Zeit, aber der Weg ist weit und ihr dürft auf keinen Fall zu spät kommen. Artus wird bis Mitternacht warten, aber sobald Merlins Geist in die andere Welt übergewechselt ist, wird er den Cromlech verlassen.«

Dulac hatte genug gehört und zog sich auf Händen und Knien rückwärts kriechend ein gehöriges Stück weit in den Wald zurück, ehe er es wagte, sich wieder aufzurichten. Noch länger zu bleiben wäre viel zu gefährlich gewesen. Es kam ihm ohnehin schon wie ein kleines Wunder vor, dass weder Morgaine noch Mordred seine Anwesenheit gespürt hatten.

Alles, was jetzt zählte, war, dass er Artus warnen musste. Aber wie? Er wusste ja nicht einmal, in welcher Richtung der Cromlech lag!

Hinter ihm erklang das gedämpfte Geräusch von Hufen. Dulac fuhr herum und erkannte das Einhorn, das ebenso plötzlich wieder aufgetaucht war, wie es vorhin verschwunden war. Diesmal lief es nicht davon, als er sich ihm näherte, sodass er den Arm ausstreckte und sich in den Sattel schwang. Welches Geheimnis auch immer dieses Tier umgab, es stand eindeutig auf seiner Seite. Mit seiner Hilfe konnte er Artus zweifellos erreichen und warnen, bevor die Pikten am Cromlech ankamen.
Als hätte es seine Gedanken erraten, drehte sich das ganz in Silber gehüllte Pferd auf der Stelle herum und sprengte mit solcher Geschwindigkeit los, dass Dulac einen erschrockenen Schrei ausstieß und sich an den Sattel klammerte um nicht abgeworfen zu werden.
So schnell der Höllenritt war, dauerte er dennoch scheinbar ewig. Er war mit seinen Kräften am Ende und schaffte es kaum noch, sich am Sattel festzuklammern, als es endlich vor ihm wieder hell wurde. Sie hatten den Waldrand erreicht.
Aber es war nicht der Cromlech, der vor ihnen lag. In Dulacs Erleichterung, diesen unheimlichen Wald endlich hinter sich gelassen zu haben, mischte sich maßloses Erstaunen, als er die weite, größtenteils offene Ebene erblickte, die sich vor ihm erstreckte. Sie und die Stadt, die dahinter lag.
Camelot.
Es war vollkommen unmöglich, aber vor ihm lag Camelot. Doch wie konnte das sein? Das Einhorn hatte ein geradezu mörderisches Tempo vorgelegt, aber sie waren vor Sonnenaufgang aufgebrochen und den ganzen Tag nahezu ohne Rast durchgeritten und jetzt ging es auf Mitternacht

zu. Es war völlig unmöglich – es sei denn, es war Magie im Spiel, etwas, an das wirklich zu glauben er sich immer noch weigerte, obwohl er es schon mehr als einmal mit eigenen Augen gesehen und am eigenen Leib gespürt hatte. Darüber hinaus: Magie hin oder her – warum hatte ihn das Pferd zurück nach Camelot gebracht statt zu Artus und seinen Rittern?

Zumindest in diesem Punkt irrte er sich, das wurde ihm schlagartig klar, als sie Camelot fast erreicht hatten und sich dem Nordtor näherten. Statt jedoch hindurchzureiten oder anzuhalten, damit er absteigen konnte, schwenkte das Pferd plötzlich in scharfem Bogen nach Norden und näherte sich dem kleinen Wäldchen, das sich eine halbe Meile von Camelot entfernt erhob. Binnen weniger Augenblicke hatten sie es erreicht. Das Pferd drang noch etliche Schritte weit ins Dickicht ein und blieb dann stehen, damit Dulac absteigen konnte.

Ein sehr sonderbares Gefühl begann sich in Dulac auszubreiten, während er langsam aus dem Sattel stieg. Es war eindeutig Entsetzen, aber auch Zorn und etwas, was ihm vollkommen fremd war. Er kannte dieses Dornengebüsch. Er hatte sich geschworen, diese furchtbare Rüstung nie wieder anzulegen, ganz egal, worum es ging und was auf dem Spiel stand. Aber er begriff auch, dass er diesen Schwur nicht würde halten können. Er hatte ihn geleistet, weil er Angst vor sich selbst bekommen hatte, aber welche Rolle spielte sein Schicksal, wenn es um das Leben des Königs ging und damit letzten Endes um das Wohl und Wehe ganz Camelots und aller Menschen, die darin lebten?

Er hatte keine Wahl.

Dulac ließ sich in die Hocke sinken und bog die Zweige

auseinander. Die Rüstung lag unverändert dort, wo er sie liegen gelassen hatte. Er streckte die Hand danach aus, zögerte und zog den Arm dann wieder zurück.

Das Pferd schnaubte und begann unruhig mit einem Vorderhuf zu scharren. Sie hatten keine Zeit. Es war noch nicht Mitternacht, aber jede Minute, die er zögerte, konnte über Leben und Tod des Königs und seiner Begleiter entscheiden.

Aber wenn er diese Rüstung jetzt anlegte ...

Dulac war von der absoluten Gewissheit erfüllt, dass er diese Rüstung nicht einfach anlegen und hinterher nach Belieben wieder ablegen konnte. Der Preis, den sie das letzte Mal von ihm verlangt hatte, war hoch gewesen, aber er spürte, dass der, den er das nächste Mal bezahlen musste, noch unendlich viel höher sein würde. Mehr als er bezahlen wollte und vielleicht sogar mehr, als er bezahlen *konnte.*

Doch er hatte keine Wahl. Und wann im Leben hatte er jemals etwas geschenkt bekommen?

Dulac sah noch einmal nach Camelot hinüber, dann zog er die Gralsrüstung aus dem Gebüsch und legte sie an.

Es war nicht mehr Dulac, der in den Sattel stieg und sich auf den Rückweg zum magischen Wald und dem Cromlech machte, sondern Lancelot.

Das Zauberross überwand die Strecke zurück zum Cromlech mit der gleichen, magischen Schnelligkeit wie den Weg nach Camelot und trotzdem kam er zu spät. Lancelot hörte das Klirren von Waffen und das Schreien von Mensch und Tier schon, als sie sich dem Waldrand näherten, und noch bevor vor seinem inneren Auge das Bild der verzweifelten Schlacht entstand, die auf der Waldlichtung toben musste, spürte er, wie sich eine sonderbare kribbelnde Erregung in ihm ausbreitete. Es war ein neues und düsteres Gefühl, das aber nicht unangenehm war, und was ihn am meisten daran erschreckte, war vielleicht, dass er sich der Bedeutung dieses Gefühles durchaus bewusst war. Etwas in ihm ...

... freute sich auf den Kampf.

Er wollte kämpfen, schlimmer noch, er wollte töten. Ohne sein Zutun löste er die Lanze vom Sattelgurt, klemmte sie sich fest unter den rechten Arm und schloss die Hand um den Schaft. Dann hatte das Einhorn den Waldrand erreicht und brach wie eine silberfarbene Chimäre aus dem Unterholz.

Seine Lanze fand im ersten Moment kein Ziel. Der Kampf tobte mit der gnadenlosen Härte und Wut, die er erwartet hatte, aber sie konzentrierte sich auf den Steinkreis, in dessen Inneres sich Artus und seine Ritter zurückgezogen hatten. Während Lancelot auf den Cromlech zusprengte, erkannte er vier oder fünf in schwarze Lederrüstungen gehüllte Gestalten, die reglos ausgestreckt auf dem Boden lagen, und eine Anzahl reiterloser Pferde, die verwirrt über die Lichtung liefen. Zu seinem Entsetzen sah er auch eine Gestalt in Blau und Gold, die sich nicht mehr bewegte. Vielleicht kam er schon zu spät. Vielleicht hatte sein kurzes Zögern, die Rüstung anzulegen, bereits einen von Artus' Männern das Leben gekostet und möglicherweise nicht nur einen.

Lancelot spornte das Pferd zu noch größerer Schnelligkeit an, beugte sich leicht im Sattel nach vorne und visierte den Rücken des nächstbesten piktischen Reiters an.

Der Mann spürte wahrscheinlich nicht einmal, was ihn traf. Die Lanze grub sich genau zwischen den Schulterblättern in seinen Rücken, durchschlug seine Brust und hatte immer noch genügend Wucht, auch den Harnisch des Pferdes zu durchdringen. Noch während Reiter und Pferd sterbend zusammenbrachen, riss Lancelot das Runenschwert aus der Scheide. Er rammte einen weiteren Pikten mit solcher Wucht, dass der Mann mitsamt seinem Tier stürzte, und streckte noch einen dritten Barbarenkrieger nieder, ehe die Übrigen auch nur bemerkten, dass er da war.

Wie es aussah, kam er nicht einen Augenblick zu früh. Artus und vier seiner Begleiter saßen noch in den Sätteln und wehrten sich verbissen, und da sie sich ins Innere des Steinkreises zurückgezogen hatten, konnten die Angreifer ihre zahlenmäßige Überlegenheit nicht so ausspielen, wie sie es vermutlich geplant hatten.

Trotzdem war die Lage der Tafelritter aussichtslos. Keiner der Männer, auch Artus nicht, war noch unverletzt. Ihre Rüstungen waren über und über mit Blut besudelt. Sir Galahad hatte seinen Schild verloren und presste die Linke auf einen tiefen Riss in seinem Brustpanzer, aus dem Blut quoll, und wo Sir Braidens rechte Hand gewesen war, war jetzt nur noch ein blutiger Stumpf. Der Tafelritter kämpfte mit der linken Hand weiter, aber seine Bewegungen hatten viel von ihrer gewohnten Eleganz und Schnelligkeit verloren. Es konnte nur noch Augenblicke dauern, bis die Angreifer nicht nur ihn, sondern auch die übrigen Tafelritter überwältigt hatten.

Lancelots Auftauchen wendete das Blatt. Es gelang ihm, einen weiteren Pikten niederzustrecken, bevor sich die

Übrigen zu einem organisierten Widerstand formierten, doch dann blieb er buchstäblich in der Masse der Reiter stecken, die sich ihm entgegenwarf. Wahrscheinlich wäre er allein nicht einmal in der Lage gewesen, Artus und seine Männer vor dem Schlimmsten zu bewahren, denn es war die schiere Masse der Barbaren, die ihn zurückwarf. Aber die Pikten schienen auch zu glauben, dass er nicht allein, sondern nur die Vorhut eines weit größeren Trupps war, denn ihr Angriff erlahmte für einen Moment und viele von ihnen drehten sich in den Sätteln um und sahen erschrocken zum Waldrand zurück.

Artus und seine Männer nutzten die Chance, um augenblicklich zum Gegenangriff überzugehen. Lancelot war zu sehr damit beschäftigt, Hiebe abzuwehren und auszuteilen, um auf den Kampf achten zu können, aber er sah immerhin, dass Sir Braiden endgültig im Sattel zusammenbrach und dann vom Pferd fiel, während Artus und die drei verbliebenen Ritter plötzlich die Pikten vor sich her trieben statt sich ihrer Angriffe mehr schlecht als recht zu erwehren.

Lancelot verschaffte sich mit einem wuchtigen Hieb nach rechts und einem gleichzeitigen Schildstoß nach links Luft und ließ das Pferd einen Schritt zurücktänzeln. Einer der piktischen Krieger legte dieses Manöver als Zeichen von Furcht aus und setzte ihm nach – um diesen Fehler mit dem Leben zu bezahlen. Bis jetzt hatte ihm das reine Ungestüm seines überraschenden Angriffs einen Vorteil verschafft, der die zahlenmäßige Überlegenheit der Pikten aufwog, aber die Überraschung der Barbarenkrieger würde nicht ewig währen und Lancelot war sich darüber im Klaren, dass er ganz und gar nicht unverwundbar war und auch nicht unbesiegbar. Artus und seine Ritter befanden sich in keinem Zustand, in dem sie ihm viele seiner Gegner vom Leibe halten konnten. Die Hauptlast der Schlacht würde auf seinen Schultern ruhen. Er konnte siegen, aber nicht, wenn er seiner bisherigen Taktik folgte und einfach blindlings drauflos drosch. Früher oder später würde ein Schwert oder eine Speerspitze eine Lücke in seiner Rüstung finden oder einer seiner Gegner einfach einen Zufallstreffer landen.

Dulac folgte seinen eigenen Überlegungen mit einer Art verwirrter Distanz. Es waren die Gedanken eines Kriegers, die er dachte, nicht seine eigenen, und er dachte sie fast ohne jedes Gefühl. Selbst die Möglichkeit, verletzt werden zu können, erschreckte ihn nur insoweit, als eine Verwundung möglicherweise den Ausgang des Kampfes beeinflusste.

Lancelot ließ das Einhorn zwei weitere Schritte rückwärts gehen, riss es dann herum und galoppierte ein kurzes Stück davon, ehe er abermals kehrtmachte und sich den Pikten entgegenwarf. Er schlug einen Krieger aus dem Sattel, dessen Mut größer als seine Vernunft gewesen war, denn er hatte sich von den anderen abgesondert und versuchte ihn ganz allein zu attackieren, duckte sich unter dem Schwertstreich eines zweiten hindurch und stieß den Mann mit dem Schild vom Pferd, als er an ihm vorüberpreschte, dann krachte das Einhorn mit der Gewalt eines stählernen Fausthiebes in eine Gruppe von fünf oder sechs Pikten.

Allein die Wucht des Zusammenpralls riss zwei der piktischen Pferde zu Boden, wobei eines seinen Reiter unter sich begrub. Der zweite Krieger rappelte sich hoch und suchte sein Heil in der Flucht und Dulac beobachtete sich selbst voll ungläubigem Entsetzen dabei, wie er sich im Sattel vorbeugte und dem Pikten das Schwert zwischen die Schulterblätter stieß.

Dann griffen die vier verbliebenen Krieger gleichzeitig aus vier Richtungen an. Lancelot konnte zwei der Hiebe mit Schild und Schwert parieren, aber die beiden anderen trafen. Die Rüstung nahm ihnen die schlimmste Wucht, aber Lancelot wurde trotzdem fast aus dem Sattel geworfen. Mit Mühe und Not arbeitete er sich wieder hoch und kippte im nächsten Moment nach vorne über den Hals des Pferdes, als ihn ein wuchtiger Schwertstreich quer über den Rücken traf.

Das Einhorn bäumte sich mit einem schrillen Wiehern auf die Hinterläufe auf. Seine schrecklichen silbernen Hufe wirbelten wie tödliche Keulen durch die Luft, trafen einen der Krieger an der Schläfe und zerschmetterten Nüstern und Kiefer eines Pferdes, das mit einem gequälten Kreischen zusammenbrach, und noch bevor das Einhorn wieder mit den Vorderhufen auf dem Boden aufkam, sauste Lancelots Schwert hinab und tötete einen weiteren piktischen Krieger.

Das brachte die Entscheidung. Der letzte überlebende Pikte riss sein Pferd herum und sprengte davon und auch die übrigen Krieger, die aus der Richtung des Cromlechs herankamen, änderten plötzlich ihren Kurs und jagten davon.

Lancelot setzte ihnen ohne zu zögern nach. Er holte den ersten Krieger noch auf halbem Wege zum Waldrand ein, stieß ihn aus dem Sattel und sprengte in gestrecktem Galopp an ihm vorbei hinter dem nächsten her.

Nicht einer der Pikten entkam ihm. Die Krieger waren in Panik und vollkommen von Sinnen vor Furcht. Keiner dachte mehr daran, zu kämpfen oder sich auch nur zu verteidigen, und es war kein Kampf, sondern ein Töten und Abschlachten, das Dulac mit kaltem Entsetzen vor sich selbst erfüllte, ohne dass er im Stande gewesen wäre, es zu beenden. Die Rüstung erfüllte ihn mit übermenschlicher Kraft und das Schwert in seiner Hand schrie nach Blut. Und je mehr es davon trank, desto größer wurde sein Durst. Als es vorbei war, war Lancelots Rüstung nicht mehr silbern, sondern glänzte in einem nassen, hellen Rot. Schwer atmend drehte er sich im Sattel herum. Die piktischen Krieger, die zu fliehen versucht hatten, waren alle tot, aber der Kampf war noch nicht vorbei. Aus dem Cromlech hallte noch immer das Klirren von aufeinander prallendem Stahl herüber und Lancelot sah dunkle Schatten, die einen bizarren Totentanz umeinander aufzuführen schienen.

Mehr.

Seine Hand, die das Schwert hielt, begann zu zittern. Die Klinge spürte das Blut, das dort drüben vergossen wurde, und gierte danach. Ohne sein Zutun wirbelte das Einhorn herum und galoppierte auf den Steinkreis zu.

Dort tobte der Kampf mit unverminderter Härte weiter. Artus und zwei seiner Ritter wehrten sich verzweifelt gegen ein gutes Dutzend Pikten, die ihrerseits mit schierer Todesverachtung kämpften – Lancelot wusste, warum. Mordred hatte keinen Zweifel daran gelassen, dass die Männer entweder mit Artus in ihrer Gefangenschaft oder gar nicht zurückkehren durften.

Lancelots Schwert bekam, wonach es verlangte. Sowohl

die Tafelritter als auch ihre Gegner waren aus den Sätteln gesprungen, um innerhalb des Steinkreises zu Fuß weiterzukämpfen. Lancelot fuhr wie ein Dämon unter sie. Sein Schwert tötete die meisten der Pikten und schlug die wenigen Überlebenden in die Flucht.
Schließlich war nur noch Artus da, der hinter dem Steinaltar mit einem einzelnen Gegner kämpfte, der eine mit spitzen Metalldornen besetzte Rüstung und einen wehenden schwarzen Mantel trug. Sein Gesicht verbarg sich hinter dem Visier seines Helmes, der die Form eines mythischen Drachenschädels hatte.
Trotzdem erkannte Lancelot ihn sofort.
Es war Mordred.
Blanker Hass loderte in Lancelot auf und wischte auch noch den letzten Rest von klarer Überlegung hinweg. Er riss das Einhorn herum und sprengte so rücksichtslos auf die beiden Kämpfenden zu, dass er Gawain, der nicht schnell genug zur Seite sprang, kurzerhand über den Haufen ritt. Er war vielleicht noch zehn Schritte von Mordred und Artus entfernt und doch war er nicht sicher, dass er es schaffte. Artus wehrte sich mit der Kraft der Verzweiflung, aber er war verletzt und blutete aus mehreren Wunden und schien kaum noch in der Lage, sich auf den Beinen zu halten. Mordreds Schläge prasselten mit erbarmungsloser Wucht auf ihn herab. Irgendwie gelang es Artus immer im letzten Augenblick, sie zu parieren oder mit dem Schild aufzufangen, aber Lancelot sah auch, dass der König unter jedem Hieb mehr taumelte. Seine Rüstung war zertrümmert und sein Schild so verbeult, dass er praktisch nutzlos geworden war. Noch zwei oder drei dieser fürchterlichen Hiebe und es war um ihn geschehen.

Lancelot lenkte das Pferd in gestrecktem Galopp um den Altarstein herum und auf die beiden Kämpfenden zu. Mordred bemerkte wahrscheinlich nicht einmal, dass er kam. Er hatte sich voll auf Artus konzentriert und wandte ihm den Rücken zu.

Lancelot hatte keine Hemmungen gehabt, dem Pikten den Speer in den Rücken zu stoßen, und er hatte auch keine Skrupel, dasselbe mit Mordred zu tun. Entschlossen beugte er sich im Sattel vor und schwang seine Waffe. Das Runenschwert zischte mit einem hässlichen Geräusch durch die Luft und prallte mit fürchterlicher Wucht gegen den Nackenschutz des schwarzen Drachenritters.

Und wurde zurückgefedert.

Die Klinge, die so mühelos durch Stahl schnitt wie ein Messer durch Papier, prallte von dem schwarzen Eisen zurück und wäre Lancelot fast aus der Hand gerissen worden. Er verlor beinahe den Halt im Sattel, sprengte an Mordred und Artus vorbei und brachte sein Tier mit einiger Mühe wieder unter Kontrolle.

Sein rechter Arm schmerzte und seine Hand pochte so heftig, dass er Mühe hatte, das Schwert zu halten, denn die ganze ungestüme Kraft, mit der er nach Mordreds Nacken geschlagen hatte, war in seinen Arm und die Schulter zurückgeworfen worden.

Immerhin hatte die Wucht seines Schlages ausgereicht, Mordred aus dem Gleichgewicht zu bringen und gegen den Altar stolpern zu lassen. Artus warf seinen ohnehin nutzlosen Schild fort, ergriff das Schwert mit beiden Händen und legte all seine verbliebene Kraft in einen einzigen Schlag, der Mordreds ungeschützte Seite traf.

Die Klinge prallte ebenso an Mordreds Rüstung ab wie

Lancelots Hieb zuvor. Mordred knurrte wie ein gereizter Hund, schlug Artus seine gepanzerte Faust ins Gesicht und hätte die Gelegenheit gehabt, seinen Gegner nun zu töten, denn Artus ließ sein Schwert fallen und brach hilflos in die Knie. Mordred ließ die Gelegenheit jedoch ungenutzt verstreichen, hob Schild und Schwert auf, die er fallen gelassen hatte, und drehte sich zu Lancelot um. Er wusste genau, welcher seiner Gegner im Moment die größere Gefahr darstellte.

Lancelot hatte nicht vor, ihm eine Chance zu lassen oder sich gar zu einem ritterlichen Zweikampf zu stellen. Das Kribbeln in seiner Hand hatte aufgehört und er spürte, wie ihn neue, pulsierende Kraft durchströmte. Rücksichtslos trieb er das Einhorn an und galoppierte auf Mordred zu. Diesmal war er gewarnt und täuschte einen weit ausholenden und leicht ungeschickten Schlag an, korrigierte seine Bewegung, aber dann im letzten Moment und führte einen geraden Stich nach Mordreds Brust. Der schwarze Ritter wich dem Angriff jedoch mühelos aus, vollführte eine blitzschnelle Wendung und landete einen Treffer bei Lancelot, der zwar von dessen Rüstung abprallte, ihn aber um ein Haar aus dem Sattel geworfen hätte. Noch bevor er sein Gleichgewicht wieder gefunden hatte, drang Mordred auf ihn ein und versetzte ihm zwei blitzschnelle Hiebe. Auch diesmal schützte ihn die Rüstung vor dem scharfen Stahl, aber die Kraft, mit der Mordred zuschlug, war grausam. Lancelot krümmte sich vor Schmerz, klammerte sich mit verzweifelter Kraft am Sattelzeug fest und schaffte es irgendwie, das Pferd zur Seite und ein paar Schritte weit weg zu lenken. Mordred setzte ihm sofort nach, aber die wenigen Augenblicke, die er auf diese Weise gewann,

reichten ihm aus. Die magische Rüstung verlieh ihm neue Kraft, und als Mordred diesmal heranstürmte, konnte er seinen Hieb nicht nur mit dem Schild parieren, sondern trat ihm gleichzeitig mit solcher Wucht vor die Brust, dass Mordred ein paar Schritte zurücktaumelte und stürzte.
Lancelot nutzte die Atempause, um das Einhorn in einem Bogen herumzuzwingen und zu einem neuerlichen Angriff loszupreschen. Mordred stemmte sich hoch, warf sich zur Seite und führte einen Schwerthieb gegen die verwundbaren Fesseln des Pferdes. Er traf nicht richtig. Das Schwert hätte das Bein des Tieres zweifellos durchtrennt, aber seine Spitze schrammte nur daran entlang und fügte dem Tier einen tiefen, blutenden Schnitt bis fast hinauf zum Kniegelenk zu. Das Einhorn kreischte vor Schmerz und Wut und kam ins Stolpern und Lancelot verlor endgültig den Halt und flog in hohem Bogen über seinen Hals hinweg. Er prallte mit solcher Wucht auf den Rücken, dass ihm für einen Moment schwarz vor den Augen wurde. Hätte er das Bewusstsein verloren, dann wäre es wahrscheinlich für immer gewesen.
Nach einem Moment lichteten sich die Schleier vor seinen Augen jedoch und er bekam auch wieder Luft. Mit zusammengebissenen Zähnen und ächzend vor Schmerz stemmte er sich in die Höhe und sah sich um.
Mordred war längst wieder auf die Füße gekommen und hatte Schwert und Schild aufgehoben. Aus einem Grund, den Lancelot nicht nachvollziehen konnte, hatte er darauf verzichtet, die Gelegenheit zu nutzen und seinen hilflos am Boden liegenden Gegner anzugreifen.
Lancelot erhob sich, langsam und mit umständlichen Bewegungen, die keinen anderen Zweck hatten als den, Zeit

zu gewinnen, in der ihm die Rüstung neue Kraft verleihen konnte.
Er warf einen raschen Blick in die Runde. Das Einhorn war ein Stück weit davon gelaufen und zog das verwundete Bein an und Artus lehnte erschöpft am Altarstein. Der Kampf war vorüber. Die Pikten waren entweder tot oder geflohen, aber auch von den Tafelrittern stand keiner mehr auf den Beinen. Es gab nur noch Mordred und ihn. Mordred zögerte immer noch anzugreifen. Er starrte ihn abschätzend durch die schräg stehenden Sehschlitze seiner Drachenmaske an, dann sagte er: »Ich habe doch gesagt, dass wir uns wieder sehen, mein Freund. Nur hätte ich selber nicht geglaubt, dass es so bald der Fall sein würde. Was macht deine Schulter?«
Lancelot schwieg. Er trat Mordred einen Schritt entgegen, blieb wieder stehen und hob Schwert und Schild; eine Herausforderung, die Mordred unmöglich missverstehen konnte. Trotzdem rührte er sich nicht, sondern fuhr fort: »Wie ich sehe, hast du dich entschieden, auf welcher Seite du stehen willst. Nicht dass es mich überrascht. Um ehrlich zu sein, habe ich mir fast gewünscht, dass du dich so entscheidest.«
Lancelot zögerte jedoch. Er hatte keine Angst vor Mordred, aber ihm war klar, dass er es mit einem sehr viel gefährlicheren Gegner zu tun hatte als bisher. Mordred war ein Meister der Schwertkunst.
»Du kannst dich immer noch entscheiden«, sagte Mordred. »Camelot wird fallen, so oder so. Die Frage ist, ob du leben willst oder sterben.«
»Ich habe mich bereits entschieden«, sagte Lancelot.
»Ja, das habe ich gehofft«, antwortete Mordred. Sein An-

griff kam so schnell, dass Lancelot ihn nicht einmal sah. Mordred schien sich einfach in einen schwarzen Schemen zu verwandeln, der in einem Moment dort und im nächsten hier war, und Lancelot taumelte unter einem Schwerthieb zurück, der seinen Schild mit solcher Gewalt traf, dass er glaubte, sein Arm wäre gebrochen. Trotzdem schlug er selbst mit kaum weniger Kraft zurück und diesmal gab es keinen Zweifel: Er sah, wie die Schneide des Runenschwertes Mordreds Oberarm traf und von dem schwarzen Eisen zurückprallte, ohne auch nur einen Kratzer zu hinterlassen.

Weil Mordred nämlich ebenfalls eine magische Rüstung trug!

Die Erkenntnis versetzte Lancelot für einen Moment fast in Panik. Mordreds schwarze Rüstung war das Gegenteil seines eigenen silbernen Panzers, aber Lancelot wusste plötzlich, dass sie ihrem Träger die gleiche Unverwundbarkeit verlieh wie ihm und ihm vermutlich auch dieselbe unerschöpfliche Kraft verlieh.

Mordred drang erbarmungslos auf ihn ein. Seine Hiebe prasselten immer schneller auf Lancelot herab. Lancelot wehrte sich, so gut er konnte, aber er begriff schon nach wenigen Momenten, dass er verlieren würde. Er war Mordred nicht gewachsen. Jetzt, wo sie beide mit den gleichen Waffen kämpften, zählten nur noch Kraft und Erfahrung und Mordred war nicht nur viel stärker als er, sondern hatte den Schwertkampf auch ein Leben lang geübt. Lancelot wurde rasch in die Defensive gedrängt und kam kaum noch dazu, seinerseits einen Hieb anzubringen. Seine Kräfte ließen rapide nach. Jeder Treffer, den Mordred anbrachte, entzog seinem Körper mehr Kraft, als ihm

die silberne Rüstung geben konnte. Noch ein paar Augenblicke und der Kampf war zu Ende. Lancelot wurde Schritt für Schritt zurückgetrieben.
Während er rückwärts vor Mordred davontaumelte, fiel sein Blick auf Artus und den Altarstein. Artus hatte den Helm abgenommen und lehnte kraftlos an dem schwarzen Stein. Sein Gesicht war blutüberströmt und grau vor Erschöpfung und seine Augen waren leer. Merlins Leichnam lag unberührt und wie schlafend ausgestreckt auf dem schwarzen Altar.
Dann erschien ein sonderbares, graues Leuchten über dem Altar. Es war nur ein Schimmer, so blass, dass man ihn kaum sah, und es war nicht nur Licht und auch nicht nur Nebel, sondern etwas wie eine unheimliche Mischung aus beidem, das für einen Moment wie blass leuchtender Morgendunst hin und her wogte ... und dann eine Form annahm. Die Form eines Pokales. Eines prachtvollen, goldenen Trinkbechers ...
Es war der Gral.
Lancelot erkannte ihn jenseits allen Zweifels. Über Merlins reglosem Körper schwebte der Heilige Gral, der auch auf seinem Schild und seiner Rüstung zu sehen war, und von dem plötzlich ein dünner, zitternder Finger ausging, der lautlos und sehr schnell herübergriff und Lancelot berührte. Er erlosch, kaum dass es geschehen war, und im selben Moment verschwand auch der Gral selbst, aber Lancelot fühlte, wie ihn eine neue, ungeheure Kraft durchströmte.
Als Mordred das nächste Mal zuschlug, versuchte er nicht den Hieb abzuwehren, sondern nahm ihn hin ohne ihn wirklich zu spüren und schlug seinerseits zurück.

Mordreds Rüstung knirschte, als sich das Runenschwert hineinfraß. Funken stoben auf und plötzlich lief hellrotes Blut über das schwarze Eisen. Mordred keuchte, taumelte zwei, drei Schritte zurück und starrte eine Sekunde lang fassungslos auf seinen Arm herab. Dann brüllte er vor Wut, riss sein Schwert in die Höhe und stürmte heran.
Lancelot empfing ihn mit einem einzigen gewaltigen Hieb, der Mordreds Schwert traf und wie Glas zersplittern ließ. Mordred taumelte zurück, starrte den nutzlosen Schwertgriff in seiner Hand einen Moment lang mit vollkommener Fassungslosigkeit an – und fuhr auf dem Absatz herum um davonzustürmen.
Als Lancelot ihm folgen wollte, fiel er mit einem stolpernden Schritt auf die Knie und konnte gerade noch den Arm ausstrecken um nicht ganz zu stürzen. Die geliehene Kraft versiegte so jäh, wie sie gekommen war. Mit einem Male spürte er jeden einzelnen Schlag, den ihm Mordred versetzt hatte. Müdigkeit schlug wie eine klebrige schwarze Woge über ihm zusammen und er musste all seine Willensstärke aufbieten, um sich nicht einfach auf die Seite fallen zu lassen und die Augen zu schließen.
Als er wieder in die Wirklichkeit zurückfand, war Mordred nicht mehr da und auch das unheimliche graue Leuchten über dem Altarstein war erloschen. Artus lehnte zitternd an dem schwarzen Fels und schien mit aller Kraft darum zu kämpfen, nicht auf der Stelle zusammenzubrechen. Das Stöhnen von Verwundeten und süßlicher Blutgeruch hingen in der Luft und da war noch etwas: Die unwirkliche Stimmung, die den Cromlech erfüllt hatte, war noch immer fühlbar, aber sie hatte sich verändert. Hatte Lancelot bisher das intensive Gefühl gehabt, sich an ei-

nem heiligen Ort zu befinden, so spürte er nun ebenso deutlich, dass dieser heilige Ort geschändet worden war. Blut war vergossen worden an einem Platz, der dem Frieden und den Geistern einer anderen Welt geweiht worden war.

Müde hob er den Blick und suchte die Stelle ab, an der ihm der Gral erschienen war. Natürlich war er nicht da. Vielleicht war er niemals da gewesen. Er wollte es nicht wirklich wissen. Da waren so viele Fragen und so unendlich wenige Antworten. Vielleicht war es gut, dass er sie nicht kannte. Vielleicht war er gut damit beraten, sich selbst einzureden, dass es nichts als ein Trugbild gewesen war, eine Halluzination, von Erschöpfung und Todesangst hervorgerufen. Denn wenn das, was er gesehen hatte, tatsächlich *geschehen* war, dann bedeutete das ...

Nein. Er weigerte sich, diesen Gedanken auch nur zu Ende zu denken.

Lancelot stand mühsam auf, schob das Schwert in die Scheide, legte den Schild ins Gras und ging mit schleppenden Schritten auf Artus zu.

Der König blickte ihm ruhig entgegen. Sein Gesicht war bleich. Schmerz und Erschöpfung hatten tiefe Linien hineingegraben. Er sah um Jahre gealtert aus und unendlich müde.

»Ihr müsst Lancelot sein«, sagte er. Seine Stimme besaß so wenig Kraft wie sein Blick und war kaum mehr als ein Flüstern.

»Das ist richtig. Und Ihr seid Artus.«

Lancelot senkte das Haupt und wollte sich auf ein Knie herablassen, aber Artus hielt ihn mit einer raschen Bewegung zurück. »Ich bitte Euch, Sir Lancelot. *Ich* müsste vor

Euch auf die Knie fallen, nicht umgekehrt. Wenn Ihr nicht gekommen wärt, dann wäre ich jetzt tot.«

Dem konnte Lancelot schwer widersprechen. Ein wenig unbehaglich sagte er: »Ich hätte eher kommen müssen, dann hätte ich vielleicht das Schlimmste verhindern können.« Vielleicht nur eine Minute. *Vielleicht gerade die Zeit, die er gezögert hatte die Rüstung anzulegen.*

»Ihr seid gekommen, das zählt«, sagte Artus. »Also stehe ich nun das zweite Mal in Eurer Schuld, Sir. Ich hoffe doch, dass Ihr mir diesmal erlaubt, Euch in angemessener Weise zu danken, und nicht sofort wieder die Flucht ergreift.«

Lancelot fühlte sich immer unbehaglicher. Er hätte die Flucht längst ergreifen sollen. Es war ein Fehler, überhaupt mit Artus zu reden. Ohne Artus' Frage direkt zu beantworten, drehte er sich herum und sah zu seinem Pferd. Das Tier hatte sich bis an den Rand des Steinkreises zurückgezogen und scharrte mit dem verletzten Bein am Boden. Es blutete stark.

»Im Moment würde mir das schwer fallen, fürchte ich«, sagte er.

»Ein prachtvolles Tier«, sagte Artus. »Macht Euch keine Sorgen, Sir. Wir werden ihm die bestmögliche Pflege angedeihen lassen. Was ist mit Euch? Seid Ihr verletzt?«

»Nur in meinem Stolz«, antwortete Lancelot schulterzuckend. »Dieser Schwarze Ritter hätte mir nicht entkommen dürfen.«

Er sprach diese Worte mit Bedacht aus, um Artus' Reaktion darauf zu prüfen, aber als sie kam, wusste er nicht ganz genau, was er davon halten sollte.

»Ihr habt nicht gegen einen Mann gekämpft, sondern gegen schwarze Magie, Sir Lancelot«, sagte er. »Ich danke Gott, dass Ihr noch am Leben seid.«

»Euer Gott«, erwiderte Lancelot betont, »hat nicht besonders viel damit zu tun.«

Er behielt Artus scharf im Auge, während er das sagte, aber wieder reagierte der König nicht so, wie er es erwartet hätte. »Gleichwie«, sagte er, »ich habe niemals zuvor einen Mann so kämpfen sehen wie Euch. Gwinneth hat nicht übertrieben.«

»Lady Gwinneth? König Uthers Witwe?«

»Und meine Braut«, antwortete Artus. Lancelots Herz zog sich zu einem Stein zusammen. »Sie hat mir von Eurem Kampf gegen die Pikten berichtet. Um ganz ehrlich zu sein: Ich habe ihr nicht wirklich geglaubt. Was sie von Euren Taten berichtete, erschien mir doch zu übertrieben. Aber nun ...« Er schüttelte den Kopf. »Ich stehe tiefer in Eurer Schuld, als ich jemals wieder gutmachen könnte.«

»Ihr habt schon mehr für mich getan, als Ihr wisst«, antwortete Lancelot – was ihm sofort wieder Leid tat. Artus runzelte die Stirn, doch bevor er eine entsprechende Frage stellen konnte, wechselte Lancelot das Thema und fuhr mit veränderter Stimme fort:

»Lasst uns nach Euren Männern sehen, Artus. Reden können wir später immer noch.«

Die Bilanz der Schlacht, die sie zogen, war grauenhaft. Neunzehn Pikten lagen erschlagen oder sterbend im Gras und auch die Tafelritter hatten einen fürchterlichen Blutzoll bezahlt. Sir Lioness war tot, denn ihn hatten die Pikten als Ersten erreicht und überrannt, als sie aus dem Wald gebrochen waren, und keiner der Tafelritter – Artus ein-

geschlossen – war ohne mehr oder minder schwere Verletzungen davongekommen.
Am schlimmsten hatte es Sir Braiden getroffen. Er hatte die rechte Hand verloren, und obwohl sich Sir Galahad und Sir Gawain bereits nach Kräften um ihn bemühten, als Artus und Lancelot hinzutraten, standen seine Chancen schlecht, die nächste Stunde zu überleben. Sein Arm war mittlerweile abgebunden, aber er hatte entsetzlich viel Blut verloren und sein Puls war so schwach, dass man ihn kaum noch fühlen konnte.
Artus' Gesicht verdüsterte sich noch weiter, als er auf den bewusstlosen Tafelritter hinabsah. »Mordred«, flüsterte er hasserfüllt. »Dafür wird er bezahlen, das schwöre ich. Für Braiden, für Lioness und für das, war er diesem heiligen Ort angetan hat.«
Lancelot sah ihn fragend an. Das Visier seines Helmes war noch immer heruntergeklappt – und das würde es auch bleiben –, aber Artus schien seinen fragenden Blick zu spüren, denn er erklärte:
»Dies ist ein Ort des Friedens, Lancelot. Ein Ort des Gebetes und der Einkehr. Blut an einem Cromlech zu vergießen bedeutet eine Beleidigung des Geistes, der über ihn wacht. Dieser Frevel wird nicht ungesühnt bleiben.«
Noch vor ein paar Tagen hätte Dulac diese Worte als lächerlich empfunden, noch dazu aus dem Munde eines Mannes, der vor etlichen Jahren offiziell zum Christentum konvertiert war und öffentlich geschworen hatte, den alten heidnischen Glauben zu bekämpfen, aber seither war so viel geschehen, dass er einfach nicht mehr wusste, was er glauben sollte. Er musste an das graue Leuchten und den Gral denken, der über dem Altar erschienen war und ihm

neue Kraft gegeben hatte, und ein eisiger Schauer lief über seinen Rücken. Ebenso wie die Kraft, die unsichtbar über dem Cromlech wachte, war auch dieses Leuchten eine freundliche Macht, die auf seiner Seite stand, doch das änderte nichts daran, dass es ihm zugleich auch Angst machte; und sei es nur, weil er spürte, dass sie Teil einer vollkommen anderen Welt war, die jenseits seines Begreifens lag.

Artus legte sein Schweigen wohl als Antwort aus, denn er ging nicht weiter auf das Thema ein. Die nächste gute halbe Stunde verbrachten er und die drei anderen damit, ihre Rüstungen abzulegen und gegenseitig ihre Wunden zu versorgen. Lancelot beteiligte sich nicht daran – das schien auch niemand zu erwarten –, sondern stand schweigend dabei und versuchte seinen Schrecken niederzukämpfen, als er sah, wie schlimm auch Artus und die drei anderen verletzt waren. Es würde Wochen dauern, bis die Tafelritter wieder vollkommen gesundet waren, wenn nicht Monate.

Außerdem zerbrach er sich vergeblich den Kopf darüber, was er nun tun sollte. Es war zweifellos ein Fehler gewesen, nicht sofort in den Sattel zu steigen und davonzureiten, aber er hatte ihn nun einmal gemacht und konnte ihn nicht zurücknehmen. Und irgendetwas – die Ahnung eines bevorstehenden, noch viel größeren Unheils – hielt ihn davon ab, dasselbe jetzt zu tun, nämlich einfach zu gehen.

Nach einer Weile wandte er sich um und ging wieder in den Steinkreis zurück. Etwas sehr Sonderbares war geschehen: Der Boden innerhalb des Steinkreises war vollkommen unberührt. Die Körper der Erschlagenen waren ebenso wie das Blut und die zerbrochenen Waffen ver-

schwunden. Selbst die Fuß- und Hufspuren waren nicht mehr da.
Merlin lag noch immer so friedlich auf dem Altar, als schliefe er nur. Er wirkte uralt, aber nicht gebrechlich; ein alter Mann, aber kein Greis. Was hätte Dulac darum gegeben, hätte er die Augen aufgeschlagen und ihm eines seiner so unendlich sanftmütigen Lächeln geschenkt.
Er würde es nie wieder tun. Ein bitterer Kloß schnürte Lancelot die Kehle zu und plötzlich liefen Tränen unter dem Visier über sein Gesicht. Es war, als hätte er erst jetzt wirklich begriffen, dass Dagda tot war. Vielleicht war er tatsächlich dreihundert Jahre alt gewesen, wie er einmal im Scherz behauptet hatte, aber am Ende hatte er vor einem Feind kapitulieren müssen, dem selbst die mächtigste Magie nicht gewachsen war – dem Tod.
Er schrak aus seinen Gedanken hoch, als er Schritte hinter sich hörte, drehte sich aber nicht herum. Trotzdem wusste er, dass es Artus war, noch bevor er seine Stimme hörte.
»Er war ein guter Freund«, sagte Artus. »Der beste, den ein Mann sich wünschen konnte.«
»Wie ist er gestorben?«, fragte Lancelot.
»Er wurde Opfer derselben schwarzen Magie, die auch für diesen Frevel hier verantwortlich ist«, sagte Artus düster. »Und auch dafür wird Mordred bezahlen.«
Lancelot drehte sich zu Artus herum. Der Blick des Königs war auf den Altar gerichtet und der Ausdruck, der auf seinem Gesicht lag, war blanker Hass.
»Mordred«, wiederholte Lancelot leise. »Ihr hasst diesen Mann sehr.«
»Ja«, antwortete Artus einfach. Und dieses eine Wort sagte mehr, als es jede langatmige Erklärung gekonnt hätte.

Obwohl er Euer Sohn ist?

Lancelot sprach die Frage nicht laut aus, aber sie lag ihm so deutlich auf der Zunge, dass er für einen Moment fast davon überzeugt war, es getan zu haben. Artus zeigte jedoch keinerlei Reaktion, sodass Lancelot innerlich aufatmete.

Nach einer Weile räusperte sich Artus unbehaglich. »Es ist spät«, sagte er. »Wir müssen aufbrechen. Vor uns liegt noch ein weiter Weg. Ihr könnt Sir Lioness' Pferd haben. Es ist unverletzt und ich bin sicher, er hätte nichts dagegen, dass Ihr es reitet.«

Lancelot nickte. Er war sicher, dass das Einhorn ihn trotz seiner Verletzung tragen konnte, aber er hatte fast Angst davor, wieder in seinen Sattel zu steigen. Auf eine besondere Weise war ihm das silbergepanzerte Schlachtross noch viel unheimlicher als die Rüstung.

Sie gingen zurück zu den anderen. Galahad und Gawain hatten Lioness bereits auf den Rücken eines der herrenlosen Pferde gebunden, von denen fast zwei Dutzend auf der Lichtung herumliefen, und waren gerade dabei, dasselbe mit Braiden zu tun; allerdings sehr viel behutsamer. Artus führte ihn zu dem Pferd des getöteten Tafelritters, doch als er aufsitzen wollte, hörte er Hufschlag und das Einhorn erschien hinter ihm.

Sein Bein war unversehrt. Die Wunde war spurlos verschwunden und auch seine Rüstung blitzte im Mondlicht, als wäre sie frisch poliert.

Lancelot sah an sich herab und stellte fest, dass dasselbe für ihn galt. Vorhin, als er unter den Pikten gewütet hatte, war seine Rüstung von Kopf bis Fuß mit Blut besudelt gewesen. Nun war sie makellos. Er musste sein Schwert nicht ziehen um zu wissen, dass auch die Runenklinge wieder so sauber war wie an dem Tag, an dem sie geschmiedet worden war.

Er drehte sich herum und begegnete Artus' Blick. Dem König konnte die unheimliche Veränderung unmöglich entgangen sein, aber er sagte nichts dazu, sondern wandte sich hastig ab, machte einen Schritt und ließ sich dann in die Hocke sinken, um einen der Toten auf den Rücken zu drehen. Als er sich wieder aufrichtete, wirkte er erleichtert.

»Habt Ihr erwartet, jemand Bestimmten zu finden?«, fragte Lancelot geradeheraus.

Artus machte eine beinahe abwehrende Bewegung.

»Befürchtet«, verbesserte er ihn. Ohne dass Lancelot eine entsprechende Frage stellte, fuhr er fort: »Einen Jungen.«

»Einen Jungen?« Dulacs Herz schlug ein wenig schneller.

»Meinen Küchenjungen, um genau zu sein«, antwortete Artus. »Und nebenbei Merlins guten Freund. Ich habe ihn mitgebracht, damit er Abschied nehmen kann, aber nun ist er fort.«

»Vielleicht lebt er nicht mehr«, antwortete Dulac.

»Er ist nicht unter den Toten«, erwiderte Artus kopfschüttelnd. »Ich bin froh, dass es so ist. Er ist wohl weggelaufen.«

Statt zu antworten hob Lancelot beide Hände an den Helm und öffnete das Visier. Es war ihm jetzt gleich, ob er sein Geheimnis preisgab oder nicht. Trotz allem Groll, den er Artus gegenüber gehegt hatte, wollte er nicht, dass der König ihn als Feigling in Erinnerung behielt.

Artus fuhr überrascht zusammen, als er in sein Gesicht sah. Seine Augen weiteten sich ungläubig.

»Artus, ich hätte –«

»Verzeiht«, unterbrach ihn Artus. »Meine Reaktion war ungehörig. Ich muss mich entschuldigen. Ich war nur überrascht, weil ... Ihr noch so jung seid.«
Es ist wie bei Gwinneth, dachte Dulac. Artus erkannte ihn nicht. Zehn Jahre lang waren sie sich tagtäglich begegnet und nun blickte Artus ihm aus kaum einen Schritt Entfernung ins Gesicht und wusste nicht, wem er gegenüberstand.
»Manchmal täuscht der äußere Eindruck«, sagte er. »Lasst uns aufbrechen. Ihr habt Recht. Es ist spät.«

Der Rückweg durch den verwunschenen Wald war so unheimlich wie der Hinweg. Anders als am Abend ritt Lancelot jetzt an der Seite des kleiner gewordenen Trupps, direkt hinter Artus. Trotz der unheimlichen Heilung war Lancelot nicht in den Sattel des Einhorns gestiegen, sondern hatte das Pferd des toten Tafelritters genommen, wie Artus es vorgeschlagen hatte. Das Einhorn selbst trabte direkt hinter ihm her, und auch wenn Lancelots Verstand ihm sagte, dass dieser Gedanke absolut lächerlich war, so glaubte er doch die missbilligenden Blicke des Tieres zwischen den Schultern zu spüren.
Wie schon einmal ließ ihn sein Zeitgefühl im Stich, während sie durch den Tunnel aus Schwärze ritten, der durch den Wald führte. Bestimmt waren es nicht mehr als wenige Minuten, aber ihm – und wie er später einmal erfahren sollte, allen anderen auch – kam es vor, als wären es Stunden. Lancelot atmete innerlich auf, als sie endlich aus dem Wald heraus waren und der mit Geröll übersäte Hohlweg vor ihnen lag.
Die Pferde bewegten sich noch sehr viel vorsichtiger als

auf dem Hinweg den steilen Pfad hinab. Unter ihren Hufen lösten sich immer wieder Steine, die in größer werdenden Felslawinen zu Tal polterten, aber sie schafften es wie durch ein Wunder bis zum Fuß des Hügels, ohne dass ein größeres Unglück geschah. Dann jedoch hielt Artus abrupt an und hob alarmiert den Kopf.

»Was habt Ihr?«, fragte Lancelot.

»Etwas stimmt nicht«, antwortete Artus halblaut. »Die Männer sollten Wachen aufstellen, aber hier ist niemand.«

Das Lager befand sich hinter der nächsten Wegbiegung, wie Lancelot sehr wohl wusste, aber das konnte er natürlich nicht sagen. Stattdessen schnippte er mit den Fingern und das Einhorn trabte gehorsam an seine Seite. Lancelot wechselte in den Sattel des silbergepanzerten Schlachtrosses, befestigte den Schild am linken Arm und zog das Schwert aus der Scheide. Dann ritt er wortlos an Artus vorbei und setzte sich an die Spitze des kleinen Trupps.

Er war nicht einmal wirklich überrascht, als er um die Wegbiegung ritt und das Lager vor sich sah. Es war, als hätte er es nicht nur geahnt, sondern irgendwie gewusst.

Das Lager war verheert. Die Diener und Knappen, die Artus und seine Ritter bis hierher begleitet hatten, lagen erschlagen am Boden und die Wut der Angreifer war so groß gewesen, dass sie nicht einmal vor den Pferden Halt gemacht hatten. Mehr als ein Dutzend Pferdekadaver lag zwischen den toten Männern. Das Lagerfeuer war auseinander gerissen und niedergetrampelt worden und selbst die beiden Zelte, die die Männer aufgestellt hatten, waren zerfetzt und zerrissen.

»Mordred«, sagte Artus. Seine Stimme klang leer. So als wäre das Entsetzen, mit dem ihn der Anblick erfüllte, so groß, dass es selbst seinen Hass auf Mordred erschlagen hatte.

Auch Lancelot konnte nur nicken. Er war von einem hilflosen Zorn erfüllt, der es ihm unmöglich machte, auch nur ein einziges Wort zu sagen. Er wusste, dass Artus Recht hatte.

Was sie sahen, war Mordreds Werk. Die Männer waren nicht einfach nur erschlagen worden. Jeder von ihnen hatte mindestens eine tödliche Wunde, die meisten aber gleich mehrere, und der Ausdruck ewig eingefrorenen Entsetzens auf ihren Gesichtern bewies Lancelot, dass sie einer sinnlosen Raserei zum Opfer gefallen waren. Diese Männer hatten niemandem etwas getan. Sie waren keine Krieger gewesen, sondern Stallburschen, Diener und einfache Bedienstete, von denen die meisten wahrscheinlich noch niemals eine Waffe in der Hand gehabt hatten.

»Und auch dafür wird er bezahlen«, murmelte Artus.

»Macht das die Männer wieder lebendig?«, fragte Dulac leise.

Artus maß ihn mit einem Blick, der Dulac klarmachte, dass er nicht verstand, was er meinte.

»Diese Männer waren unschuldig«, sagte Artus schließlich. »Sie waren keine Soldaten. Mordred führt Krieg gegen Diener und Bauern.«

»Das war kein Krieg«, grollte Lancelot. »Rache. Er hat diese Männer getötet um mich, Lancelot, zu treffen.«

Oder mich, dachte Dulac düster.

Artus machte eine Bewegung, wie um aus dem Sattel zu steigen, überlegte es sich dann anders und schüttelte müde den Kopf. Und so bitter es war, Lancelot musste sich eingestehen, dass er Recht hatte. Sie hatten weder die Zeit noch die Kraft, abzusteigen und den Männern wenigstens ein christliches Begräbnis zukommen zu lassen; ja nicht einmal sie mit Steinen zu bedecken, damit sie nicht von wilden Tieren oder Aasfressern gerissen wurden. Vielleicht war dies das Schlimmste, was sie den Männern antun konnten. Und somit Mordreds größter Triumph.

Er überlegte einen Moment, dann wusste er, was er zu tun hatte.

Er würde Artus und die überlebenden vier Tafelritter bis Camelot begleiten und dann gehen. Das Gemetzel an den wehrlosen Männern bewies, dass Mordred keineswegs geschlagen war. Er hatte die Männer getötet, um seine Wut an ihnen auszulassen, aber das war nicht der alleinige Grund. Diese toten Männer waren eine Botschaft an Artus – und auch an ihn –, wie sie eindeutiger nicht sein konnte: Es war nicht vorbei. Es gab keinen Ort zwischen Hier und Camelot, an dem sie sicher waren.

Lancelots Schwert war das Einzige, das zwischen Camelot und Mordreds Rache stand.

»Ich werde Euch bis Camelot begleiten«, sagte er.

Artus sah ihn leicht irritiert an. Zuerst glaubte Lancelot, es läge daran, dass er bisher noch gar nicht auf den Gedanken gekommen war, er könnte irgendetwas anderes vorhaben als sie nach Camelot zu begleiten. Dann aber sah er auch die neuerliche Verletztheit in Artus' Augen und endlich wurde es ihm klar. Sowohl Artus als auch seinen Begleitern war bewusst, dass Lancelot ihre einzige Chance darstellte, Camelot lebend zu erreichen. Sie waren hilflos, kaum in der Lage, sich in den Sätteln zu halten, geschweige denn sich zu verteidigen. Dieser Umstand allein war schmerzlich genug. Aber ungleich schlimmer war die

Tatsache, dass er Artus und die anderen wissen ließ, dass es so war. Vielleicht war diese eine, unbedachte Bemerkung der Grund für alles, was später geschehen sollte, aber das konnte Dulac in diesem Moment weder wissen noch hätte er es überhaupt für möglich gehalten. Er würde Artus und die anderen bis Camelot begleiten und mit seinem Schwert und der Kraft der magischen Rüstung beschützen und dann würde er gehen um niemals zurückzukehren. Doch es sollte anders kommen.

Für die Strecke von Camelot bis zum Cromlech hatten sie einen Tag und einen Teil der darauf folgenden Nacht gebraucht. Für den Weg zurück brauchten sie den Rest der Nacht, den gesamten nachfolgenden Tag und die Nacht, die ihm folgte. Die Ritter waren erschöpft, verwundet und am Ende ihrer Kräfte, sodass sie immer längere Pausen in immer kürzeren Abständen einlegen mussten. Die Sonne berührte zum zweiten Mal den Horizont und setzte die Nacht in Flammen, als der Fluss und Camelot endlich unter ihnen lagen.

Selbst Lancelot, der von den Kräften der magischen Rüstung zehrte, konnte sich vor Erschöpfung kaum noch im Sattel halten. Seine Augen brannten. Jeder Muskel in seinem Leib war verkrampft und tat weh und sein Rücken fühlte sich an, als wollte er im nächsten Moment einfach durchbrechen. Er fragte sich, wie Artus und seine schwer verwundeten Begleiter diese Tortur durchstanden.

Nicht davon zu reden, welchen Anblick sie bieten mussten. Sie waren mit wehenden Fahnen und in Glanz und Prunk losgezogen, eine kleine, aber prachtvolle Armee, die jeden, der sie sah, mit einem Schauer von Ehrfurcht er-

füllte. Was nach Camelot zurückkehrte, war ein zerschlagener, blutbefleckter Haufen von Männern, der kaum noch die Kraft hatte, sich im Sattel zu halten.
Ihr Kommen blieb nicht unbemerkt. Sie waren noch mehr als eine Meile von der Stadtmauer entfernt, als das große Tor geöffnet wurde und das rote Licht von mehr als einem Dutzend Fackeln die Dämmerung erhellte. Eine weit auseinander gezogene Kette dunkler Gestalten trat im Schein dieser Fackeln aus dem Tor und kam ihnen entgegen. Während sie näher kamen, zerfiel die Gruppe in zwei Teile. Etwa die Hälfte des Begrüßungskomitees war beritten und näherte sich ihnen entsprechend schneller.
Als sie noch eine knappe Meile entfernt waren, ließ Artus sein Pferd langsamer gehen und hielt schließlich an. Wie alle anderen wankte er vor Erschöpfung im Sattel. Sein Gesicht war eingefallen und grau; das Antlitz eines alten Mannes, nicht eines Königs. Seine Augen hatten einen fiebrigen Glanz, als ihr Blick den Lancelots suchte.
»Wir sind zu Hause«, murmelte er. »Ich danke euch, Sir Lancelot. Ohne Eure Hilfe wäre wohl keiner von uns lebend zurückgekehrt. Und doch habe ich noch eine weitere Bitte an Euch. Vielleicht die größte überhaupt.«
Lancelot schwieg. Die Reiter, die ihnen aus Camelot entgegenkamen, waren nicht mehr weit entfernt, und wenn sie erst einmal hier waren, hatte er so gut wie keine Aussichten mehr, unauffällig zu verschwinden.
»Ihr wollt nicht bei uns bleiben«, sagte Artus unvermittelt.
Lancelot fuhr überrascht zusammen. »Woher ... ich meine, wie kommt Ihr auf diese Idee?«
Ein müdes Lächeln erschien auf Artus' Zügen. »Ihr seid nervöser geworden, je näher wir Camelot gekommen

sind«, antwortete er. »Als Ihr Lady Gwinneth und König Uther gerettet habt, seid Ihr davongeritten, ohne auch nur unseren Dank abzuwarten. Und Ihr hättet dasselbe wohl auch gestern getan, hättet Ihr nicht befürchten müssen, dass Mordred uns unterwegs auflauert um zu Ende zu bringen, was er begonnen hat.«
Lancelot schwieg. Was sollte er auch sagen? Wie es aussah, hatte er Artus wohl gründlich unterschätzt.
Artus ließ sein Pferd ein paar Schritte zur Seite laufen und hielt wieder an, damit Lancelot ihm folgte. Als Lancelot das Einhorn neben ihm zügelte, sprach er mit gesenkter Stimme weiter. »Ich will offen zu Euch sein, Lancelot. Ich brauche Euch. Camelot braucht Euch.«
»Camelot?«
»Ich weiß, was Ihr sagen wollt«, antwortete Artus. »Was habt Ihr mit Camelot zu schaffen? Weder ist es Eure Heimat noch sind seine Menschen Eure Brüder und Schwestern. Und doch brauchen sie Euch. Camelot braucht einen König und ich werde diese Rolle für eine Weile nicht mehr ausfüllen können.«
»Ich bin kein König und ich will es auch nicht sein«, antwortete Lancelot erschrocken.
»Aber Ihr könnt mich vertreten«, beharrte Artus. »Camelot braucht Euer Schwert. Wenn bekannt wird, dass der König von Camelot nicht mehr in der Lage ist, seinen Thron zu verteidigen, dann werden unsere Feinde in Scharen herbeiströmen.« Er deutete zur Stadt hinüber. »Ich bitte nicht für mich, Lancelot. Ich bitte für sie. Für die Menschen, die dort leben und die ihr Schicksal in meine Hände gelegt haben.«
Lancelot schwieg noch immer. Er sah zur Stadt hin, dann

drehte er sich im Sattel herum und blickte auf den jämmerlichen, zerschlagenen Haufen, der einstmals der Stolz Camelots gewesen war, und schließlich den näher kommenden Reitertrupp. Eine der Gestalten, die ganz vorne ritt, unterschied sich von den anderen. Sie war auffallend hell gekleidet und schien es ganz besonders eilig zu haben, denn sie ritt ein gutes Stück vor den anderen.

Dann erkannte er sie. Es war Gwinneth. Sie trug ein schneeweißes Kleid, das in der hereinbrechenden Dämmerung hell leuchtete, und dazu einen weit geschnittenen Umhang, der hinter ihr im Wind flatterte. Sie ritt nicht im Damensattel, sondern saß wie ein Mann auf dem Rücken ihres Pferdes, und die Schnelligkeit, mit der sie heranpreschte, ließ keinen Zweifel daran, dass sie eine hervorragende Reiterin war. Im flackernden Licht der sich zurückziehenden Nacht schien sie von etwas wie einem milden, fast unsichtbaren Leuchten umgeben zu sein.

Hätte man Lancelot in diesem Moment gesagt, dass sie kein Mensch sei, sondern eine Feenkönigin oder eine Elfe, er hätte es geglaubt. Sein Herz zog sich zu einem schmerzenden Stein zusammen, und ohne dass er es merkte, krampften sich seine Finger so fest um die Zügel, dass das Leder knirschte.

Artus wartete noch eine kurze Weile vergebens auf eine Antwort, dann drehte er sein Pferd herum und ritt Gwinneth und den anderen entgegen. Auch seine Ritter folgten ihm und schließlich schloss sich auch Lancelot an.

Gwinneth sprengte den Hang hinauf und brachte ihr Pferd mit einem so harten Ruck neben Artus zum Halten, dass das Tier scheute und zu tänzeln begann.

»Artus, um Gottes willen!« Gwinneth stieß einen erschrockenen Schrei aus, als sie in Artus' Gesicht blickte, und schlug die Hand vor den Mund. Dann fiel ihr Blick auf die anderen Ritter und Lancelot konnte sehen, wie alles Blut aus ihrem Gesicht wich.

»Was ... was ist geschehen?«, keuchte sie. »Was ist denn nur –«

Sie brach mitten im Satz ab, als sie Lancelot erblickte. Ihre Augen wurden groß.

»Mordred«, antwortete Artus. »Wir sind in einen Hinterhalt gelockt worden. Wäre Sir Lancelot nicht erschienen, dann wären wir wohl alle getötet worden.«

»Der König übertreibt«, sagte Lancelot unbehaglich. »Ich konnte meinen Teil dazu beitragen, aber die Schlacht haben wir alle gemeinsam gewonnen.«

Gwinneth starrte ihn an. Lancelot war sicher, dass sie seine Worte gar nicht gehört hatte, so wenig wie die Artus' zuvor. In ihren Augen erschien ein Ausdruck, den Lancelot im ersten Moment nicht verstand, denn er schien aus purem Schrecken zu bestehen, aber dann wurde ihm klar, dass sie denselben Schmerz verspürte wie er. Er hätte nicht kommen sollen. Er hätte Artus bis hierher begleiten und dann davonreiten sollen, bevor Gwinneth heran war. Nun war es zu spät.

»Sir ... Lancelot«, murmelte sie schließlich.

In ihrer Stimme war ein Unterton, der Lancelot schaudern und Artus alarmiert aufblicken ließ.

»Sir Lancelot, ja«, bestätigte er überflüssigerweise. »Nun haben wir noch etwas gemeinsam, denn jetzt verdanken wir ihm beide unser Leben.« Er atmete hörbar ein. »Aus diesem Grund habe ich ihn auch gebeten, den Sommer über in Camelot zu bleiben.«

Niemals! Aus dem Schrecken in Gwinneths Augen wurde für die Dauer eines Herzschlages das blanke Entsetzen. *Tut es nicht! Ich flehe Euch an!*
Artus drehte sich halb im Sattel herum um Lancelot direkt anzusehen. »Unsere Vermählung ist für das Sonnenwendfest geplant«, sagte er. »Ich möchte, dass Ihr bis dahin unser Gast seid, Sir Lancelot! Lady Gwinneth und ich würden uns geehrt fühlen, wenn Ihr unser Trauzeuge wärt.«
Lancelot sah Gwinneth an, registrierte das Flehen in ihren Augen, aber auch die verzweifelte Hoffnung darunter. Es war Wahnsinn. Für einen Augenblick sah er die Zukunft so klar vor sich, als hätte er sie bereits gelebt. Er wusste, was passieren würde, wenn er Artus' Bitte entsprach und blieb. Aber wenn er ging, dann würde er Gwinneth niemals wieder sehen.
»Ich danke Euch, König Artus«, sagte er. »Euer Angebot ehrt mich. Ich nehme es gerne an.«

Drei Tage lang irrte er ziellos umher. Er aß nichts in dieser Zeit, schlief zusammengenommen weniger als in einer einzigen Nacht und hielt nur ein paar Mal an, um seinen schlimmsten Durst zu stillen. Er wusste nicht, wo er war oder wohin er ritt, und er wusste nicht einmal, was er in dieser Zeit gedacht hatte. Wenn er sich daran zu erinnern versuchte, dann war es wie die Erinnerung an einen Fiebertraum, voll düsterer, sinnloser Bilder und Furcht, deren einziger Grund er selbst war.
Am Abend des dritten Tages erreichte er Malagon.
War es Zufall, dass ihn die Schritte des Einhorns zu diesem verfluchten Ort gelenkt hatten?

Lancelot glaubte es nicht. Er war kreuz und quer durch das Land geritten und hatte jede menschliche Ansiedlung gemieden und nun war er ausgerechnet hier, weit im Norden des Landes, in einem Gebiet, das Menschen normalerweise wie die Pest mieden und in das kein befestigter Weg und kein Pfad führte. Und nun stand er vor diesem düsteren, uralten Gemäuer, von einem Schicksal hierher geführt, das sich einen grausamen Scherz nach dem anderen mit ihm erlaubt hatte und dessen Plan er noch immer nicht durchschaute. Falls es überhaupt einen gab.
Vielleicht war das, was die Menschen so gern als Schicksal bezeichneten, in Wahrheit nur bloße Willkür, eine Aneinanderreihung von Dingen, die geschahen oder auch nicht; und eine bequeme Ausrede für alle, die nicht in der Lage waren, ihre eigenen Geschicke zu lenken.
So wie er.
Zeit seines Lebens hatte er sich gewünscht, nicht länger ein einfacher Küchenjunge zu sein und ein Leben zu führen, dessen größte Aufregung darin bestand, irgendwie Tanders Wutausbrüchen zu entgehen und sich ein- oder zweimal pro Woche mit Mike und seinen beiden Kumpanen zu prügeln. Er hatte ein Held sein wollen. Ein Ritter auf einem strahlenden Ross, der gewaltige Schlachten schlug und seine Feinde besiegte und am Ende das Herz einer wunderschönen Jungfrau eroberte, kurz: Er hatte dieselben Wünsche gehabt wie jeder andere Junge in seinem Alter.
Nun war er ein Held. Er saß auf dem gewaltigsten Schlachtross, das die Welt jemals gesehen hatte. Er hatte König Artus' Leben gerettet und eine Schlacht gegen eine wahre Übermacht gewonnen, er trug eine silberne Rüs-

tung und er *hatte* das Herz einer wunderschönen Jungfrau gewonnen. Und das alles hatte zu nichts anderem als Leid und Schrecken und Blutvergießen geführt. Der Traum hatte sich erfüllt, aber er war zum Albtraum geworden. Lancelot weigerte sich zu glauben, dass es so etwas wie ein lenkendes Schicksal gab, denn hätte hinter alledem eine solche Macht gestanden, dann wäre sie von einer Grausamkeit gewesen, die einfach unvorstellbar war. Er hatte innerhalb weniger Tage alles gewonnen, was er sich jemals erträumt hatte, und innerhalb weniger Augenblicke mehr verloren, als er jemals besessen hatte.

Und dann wusste er, was er zu tun hatte.

Ganz plötzlich war ihm alles klar. Es war kein Zufall, der ihn hierher gebracht hatte, und auch nicht irgendwelche rätselhaften Schicksalsmächte. Vielmehr war er selbst es gewesen. Ein Teil von ihm – vielleicht Dulac, der irgendwo tief verborgen in ihm immer noch existierte – hatte ganz deutlich begriffen, dass es nur noch eines gab, was er tun konnte. Er würde diese verfluchte Rüstung dorthin zurückbringen, wo er sie gefunden hatte, aber zuvor würde er Artus einen letzten Dienst erweisen. Er würde nach Malagon gehen und Mordred töten und, wenn es sein musste, auch Morgaine le Faye. Vielleicht würde er bei dem Versuch, dies zu tun, sterben, aber welche Rolle spielte das jetzt noch? Er würde Camelot so oder so nie wieder sehen.

Lancelot ritt bis zum Fuß des felsigen Hügels, auf dem sich die schwarze Festung erhob, und stieg aus dem Sattel. Das Einhorn wieherte unwillig, als wäre es mit seiner Entscheidung nicht einverstanden. Lancelot ignorierte es, befestigte den Schild an seinem linken Arm und zog das Schwert, während er langsam auf das offen stehende Tor zu ging. Er hätte warten können, bis die Sonne ganz untergegangen war, um sich Malagon im Schutze der Dunkelheit zu nähern, aber welchen Sinn hätte das gehabt? Die Sinne der Pikten, die möglicherweise hinter den zerfallenen Zinnen standen, konnte er täuschen, aber Morgaine le Faye und Mordred würden seine Annäherung spüren, noch bevor er die Burg erreichte.

Alle seine Sinne waren bis aufs Äußerste gespannt, als er in das Torgewölbe trat. Unendlich langsam und jederzeit auf einen Angriff gefasst bewegte er sich durch das gemauerte Gewölbe.

Doch er wurde nicht angegriffen. Er hörte nicht einmal einen verdächtigen Laut und das änderte sich auch nicht, als er das jenseitige Ende des Tores erreicht hatte. Der Hof lag still vor ihm. Malagon war verlassen – oder erweckte zumindest diesen Eindruck.

Lancelot sah sich misstrauisch um. Er lauschte angespannt, aber alles, was er hörte, war das Pochen seines eigenen Herzens und das Geräusch des Windes, der sich an den zerbröckelnden Zinnen brach. In diesem besonderen Moment klang es in seinen Ohren wie das Wehklagen tausend gequälter Seelen.

Er schüttelte den Gedanken ab und konzentrierte sich auf die Wirklichkeit. Sie war unheimlich genug. Malagon war eindeutig verlassen, aber etwas ... war hier. In den Schatten zwischen den Trümmern, Erkern und Mauervorsprüngen schien noch eine andere, tiefere Dunkelheit zu lauern und die Stille verbarg ein noch stärkeres Schweigen, das sich über die Grenzen des Hörbaren hinaus erstreckte.

Lancelot ging weiter. Vorsichtig näherte er sich der Tür, durch die er das Innere der Burg schon einmal betreten hatte, und folgte demselben Weg wie damals. Unbehelligt erreichte er den Kellerraum, im dem er auf die piktischen Wachen gestoßen war. Er war leer wie der Rest der Burg, sonderbarerweise aber von einem Dutzend Fackeln taghell erleuchtet. Das schwarze Eisentor auf der andere Seite war geschlossen.

Auf dem großen Holztisch standen noch Teller mit den Resten einer Mahlzeit. Lancelot untersuchte sie flüchtig und stellte fest, dass sie bereits von einer dicken Schicht grünen Schimmel überzogen waren. Es musste eine Weile her sein, dass Malagon verlassen worden war. Trotzdem behielt er das Schwert in der Hand, während er sich dem eisernen Tor näherte. Das Gefühl, dass etwas da war, wurde stärker.

Lancelot legte die Handfläche auf das schwarze Eisen und war darauf vorbereitet, mit aller Kraft zu drücken, aber das Tor bewegte sich so leicht in seinen uralten Angeln, dass er überrascht hindurchstolperte und einen großen Schritt machen musste, um sein Gleichgewicht wiederzufinden.

Auch die Höhle hatte sich nicht verändert. Stalagmiten und Kristalle verwandelten das hintere Drittel der Höhle in ein schier undurchdringliches Labyrinth und auch das unheimliche Leuchten war noch immer da und erfüllte den Raum mit Farben, wie er sie noch nie zuvor gesehen hatte. Eine düstere Verlockung ging von den leuchtenden Kristallen aus, eine Verlockung, die mit jedem Moment stärker zu werden schien und die die Ahnung einer gewaltigen Gefahr enthielt, zugleich aber auch etwas ungemein Verlockendes.

Dennoch trat Lancelot einige Schritte in den Raum hinein und blieb dann stehen, um sich lange und aufmerksam umzusehen, ehe er weiterging. Er war durchaus bereit, sein Leben zu geben, um Artus und Camelot zu retten, aber das hieß schließlich nicht, dass er blindlings in eine Falle stolpern musste. Die Höhle war jedoch leer. Es gab keinen zweiten Eingang und die Stalagmiten und ihre Gegenstücke bildeten zwar ein fast undurchdringliches Labyrinth, boten jedoch kein Versteck, in dem ein eventueller Feind auf ihn lauern konnte.

Endlich schob er das Schwert in den Gürtel zurück, löste den Schild vom linken Arm, befestigte ihn auf dem Rücken und schob das Helmvisier hoch. Dann ging er weiter und näherte sich den leuchtenden Kristallen.

Das letzte Stück musste er durch wadentiefes Wasser waten. Es war unerwartet warm, und als es in seine Rüstung drang und er es auf seiner Haut fühlte, da hatte er das absurde Gefühl, gar nicht nass zu werden, sondern leuchtend warmes Sonnenlicht zu spüren.

Zögernd streckte er die Hand aus, um einen der Kristalle zu berühren, verhielt im letzten Moment aber noch einmal. Vielleicht sollte er es besser nicht tun. Diese leuchtenden Kristalle waren vielleicht nicht nur ungewöhnlich, sondern mochten durchaus gefährlich sein. Er nahm an, dass sie irgendetwas mit Morgaines magischer Kraft zu tun hatten, vielleicht sogar deren Quelle waren.

Aber wenn er weiter hier herumstand und sie nur anstarrte, würde er das nie herausfinden.

Entschlossen legte er die Hand auf den leuchtenden Kristall.

Nichts geschah.

Weder tat sich der Boden unter seinen Füßen auf noch fiel ihm die Decke auf den Kopf. Es passierte überhaupt

nichts und Lancelot war beinahe ein bisschen enttäuscht. Doch dann fühlte er doch etwas.
In den leuchtenden Kristallen schien eine sanfte, aber ungemein starke Kraft zu vibrieren. Er konnte sie weder beschreiben noch schien sie irgendetwas zu bewirken, aber sie war eindeutig da und sie war von unvorstellbarer Stärke, wie das lodernde Feuer im Herzen eines vermeintlich erloschenen Vulkans, der seit Tausenden von Jahren schlief und nur darauf wartete, wieder auszubrechen.
Lancelot zog die Hand zurück, überlegte einen Moment und zog dann das Schwert. Sein Verdacht war richtig gewesen. In diesen Kristallen schlummerte große magische Macht und es war klar, dass es genau diese Macht war, der sich Morgaine le Faye bediente, um ihre Fäden zu spinnen und Artus zu bekämpfen. Wenn er sie zerstörte, dann zerstörte er auch Morgaine. Auf jeden Fall aber würde er sie entscheidend schwächen. Vielleicht stark genug, dass Artus sie auch ohne seine Hilfe besiegen konnte.
Er ergriff das Schwert mit beiden Händen, holte aus und führte einen Hieb, in dem alle Kraft lag, die er aufbringen konnte.
Ein dröhnender Glockenschlag erscholl, unvorstellbar laut und von einer Macht, die Lancelots Körper bis ins Innerste erzittern ließ, und das Runenschwert, das so mühelos durch fingerdicken Stahl glitt wie ein heißes Messer durch Schnee, prallte vom Kristall ab, ohne ihm auch nur einen Kratzer zugefügt zu haben.
Lancelot taumelte unter der Wucht seines eigenen Schlages zurück und hätte um ein Haar das Schwert fallen gelassen. Das Dröhnen und Klirren hielt noch immer an, als schriee der Kristall vor Schmerz.

Er war fassungslos. Das Kristallgebilde sah so filigran aus wie ein gefrorenes Spinnennetz, ein zerbrechliches Gespinst, das so verwundbar wirkte, dass man es kaum mit den Fingerspitzen zu berühren wagte – und doch hatte es einem Hieb standgehalten, der eine tausendjährige Eiche gefällt hätte! Wenn er noch einen Beweis gebraucht hätte, dass hier etwas nicht mit rechten Dingen zuging, dann hatte er ihn nun.

Aber so leicht würde er nicht aufgeben.

Lancelot trat einen halben Schritt zurück, spreizte die Beine um festen Stand zu haben und ließ das Schwert mit noch größerer Kraft auf den Kristall herabsausen. Ein ungeheures Dröhnen und Sirren erklang. Der Laut vibrierte in jeder Faser seines Körpers, ließ seine Zähne schmerzen und trieb ihm die Tränen in die Augen, doch diesmal zeigte er Wirkung. Die Höhle begann zu erzittern. Winzige, rasch aufeinander folgende Wellen liefen über die Oberfläche des flachen Sees, in dem Lancelot stand, und hier und da lösten sich Kalktrümmer von den Stalaktiten, die von der Decke wuchsen, und stürzten ins Wasser und Lancelot holte zu einem dritten Schlag aus, in den er noch mehr Gewalt zu legen versuchte.

Die Tür flog auf und Morgaine stürzte herein. Ihr Haar war aufgelöst und auf ihrem Gesicht lag der Ausdruck blanken Entsetzens. »Was tust du da, du Wahnsinniger?!«, kreischte sie. »Hör auf! *Hör sofort auf!*«

Lancelot lachte schrill und ließ das Runenschwert zum dritten Mal auf das Kristallgebilde niedersausen.

Das Ergebnis war verheerend.

Das Dröhnen und Klingen schien seine Trommelfelle zu zerreißen. Funken stoben unter seinem Schwert auf und es regnete Steine und gefährliche Kalkspitzen von der Decke. Die Spitze des Kristallgebildes zerbarst mit solcher Wucht, dass die Luft rings um Lancelot herum für einen Moment von Millionen winziger Eissplitter erfüllt zu sein schien. Die gesamte Höhle begann zu erbeben, schien für einen Moment wie ein Schiff auf sturmgepeitschter See zu schwanken. Es war, als bräche der ganze Berg rings um ihn herum zusammen.

Lancelot kämpfte einen Moment lang verzweifelt um sein Gleichgewicht, verlor diesen Kampf und fiel rücklings ins Wasser. Aus den Augenwinkeln sah er, dass auch Morgaine von den Füßen gerissen wurde und stürzte. Die beiden tonnenschweren Torflügel hinter ihr schwankten so wild hin und her wie hölzerne Fensterläden in einem Sturm, aber selbst das ungeheure Dröhnen, mit dem sie gegen die Felswände schlugen, ging im Klirren der Kristalle unter.

Mühsam rappelte er sich auf und tastete nach seinem Schwert, das er fallen gelassen hatte. Während sich seine Hand um den Griff schloss, fiel sein Blick auf den Kristall: Aus dem abgebrochenen Stumpf sprühte buntfarbenes Licht wie leuchtendes Blut und ein schmaler, vielfach verästelter Riss zog sich durch den Fuß des gesamten Gebildes. Noch ein einziger, entschlossener Hieb und die gesamte Kristallburg würde zusammenbrechen. Wahrscheinlich würde er mit seinem eigenen Leben dafür bezahlen, aber welche Rolle spielte das schon?

Er stemmte sich in die Höhe, schwang das Runenschwert hoch über den Kopf und raffte noch einmal alle Kraft zusammen, die er in seinem Körper fand, und hinter ihm schrie Morgaine so gellend auf, als hätte man ihr einen glühenden Dolch in den Leib gestoßen. Weißes Feuer sprühte aus ihren hoch gerissenen Händen, sprang auf Lancelots Schwert und von dort aus auf seinen Körper über und ein so unvorstellbar heftiger Schmerz explodierte in ihm, dass sein Bewusstsein auf der Stelle ausgelöscht wurde.

Er lag nicht im Wasser, als er erwachte, und auch nicht auf hartem Fels, sondern auf etwas Weichem, von dem ein warmer Geruch ausging.

Das erste Gefühl, das ihn ergriff, noch bevor er die Augen aufschlug, war ein maßloses Erstaunen, dass er überhaupt noch in der Lage war, etwas zu empfinden. Die Erinnerung an den grässlichen Schmerz, mit dem Morgaine le Faye ihn überwältigt hatte, war noch immer deutlich in ihm. Er hatte das Gefühl gehabt, dass jede einzelne Faser seines Körpers Feuer gefangen hatte, und war fest davon überzeugt gewesen, sterben zu müssen. Kein Mensch konnte eine solche Qual aushalten.

Dann öffnete er die Augen, blinzelte verwirrt, setzte sich auf und sah sich eine geraume Weile mit einer Mischung aus Unglauben und Verwirrung um und war sich nicht mehr so sicher, ob er auch tatsächlich noch am Leben war. Wo immer er sich befand – dies war nicht mehr die Welt, die er kannte. Er lag auf einem dicken Moosteppich, der zu einem von knorrigen Wurzelsträngen und runden, wie glatt poliert wirkenden Steinen durchsetzten Waldboden gehörte. Rings um ihn herum erhoben sich die sonderbarsten Bäume, die er jemals gesehen hatte. Selbst die kleinsten von ihnen mussten dreißig oder mehr Meter messen. Bis zur halben Höhe wuchs kein Ast oder auch nur ein Zweig aus ihm hervor. Ihre Rinde war von mattweißer Farbe und so glatt, dass sie eher wie Elfenbein als Baumrinde aussah. Unendlich hoch über ihm verzweigten sie sich zu einem dicht geschlossenen Blätterdach, durch das goldenes Sonnenlicht schlüpfte.

Lancelot stand auf. Irgendetwas huschte zwischen seinen Füßen hervor und verschwand, bevor er es erkennen konnte, aber Lancelot hatte einen flüchtigen Eindruck von einem winzigen weißen Körper und sirrenden Libellenflügeln.

Langsam drehte er sich einmal im Kreis, und je mehr er wahrnahm, desto sonderbarer kam ihm dieser Wald vor. Es gab kein Unterholz, aber hier und da wuchsen fremdartige Pilze oder Blumen, wie er sie noch nie zuvor gesehen hatte.

Nein, dies waren gewiss nicht die sumpfigen Wälder rings um Malagon und auch nicht um Camelot. Er hatte überhaupt noch nie von einem Wald wie diesem gehört. Vielleicht hatte er sich ja getäuscht. Vielleicht hatte Morgaine le Faye ihn getötet und das hier war es, was einen auf der anderen Seite erwartete.

Er sah an sich herab, und was er erblickte, das ließ ihn doch an dieser Vorstellung zweifeln. Er trug noch immer die Gralsrüstung. Schild, Schwert und Helm lagen neben ihm im Moos. Wenn das das Paradies war, wozu brauchte er dann eine Rüstung und Waffen?

Aber wenn er nicht tot war, wo war er dann?

Er würde es nicht herausfinden, wenn er weiter hier herumstand und seine Zeit damit vertrödelte, sich zu wundern.

Lancelot hob Schwert und Schild auf und befestigte beide

an ihrem Platz, dann klemmte er sich den Helm unter den linken Arm und machte sich auf den Weg. Er schlug keine bestimmte Richtung ein, sondern marschierte einfach los und versuchte nur einigermaßen geradeaus zu gehen, um nicht im Kreis zu laufen ohne es zu merken. Er hatte von Fällen gehört, in denen Menschen auf diese Weise zu Tode gekommen waren.

Mindestens eine Stunde lang ging er so zwischen den Stämmen des unheimlichen Elfenbeinwaldes hindurch, bis es vor ihm heller zu werden begann. Offensichtlich war er nicht im Kreis gelaufen, sondern wirklich geradeaus. Er näherte sich dem Waldrand.

Lancelot schritt rascher aus – und blieb mit einem ungläubigen Keuchen stehen.

Vor ihm fiel das Land sanft und über Meilen und Meilen hinweg ab, bis es am Ufer eines unendlichen, dunkel azurblauen Meeres endete. Er entdeckte mehrere kleine Ansiedlungen oder Höfe auf dieser gewaltigen grünen Ebene, aber nur eine davon war nahe genug um Einzelheiten erkennen zu können.

Das Wenige, was er sah, war erstaunlich genug.

Die Häuser wirkten auf eine schwer in Worte zu fassende Weise grazil und zerbrechlich, obwohl sie eine ansehnliche Größe hatten. Die Dächer waren sonderbar geschwungen und es gab keine Kamine, als herrsche in diesem Land immer währender Sommer. Eine Anzahl winziger, vornehmlich hell gekleideter Gestalten bewegte sich zwischen den Gebäuden. Auf halber Strecke zwischen dem Waldrand und der kleinen Ansiedlung weideten Pferde; vielleicht ein Dutzend. Sie waren ausnahmslos von strahlendem Weiß.

Und jedem einzelnen wuchs ein handlanges, gedrehtes Horn aus der Stirn.
Lancelot fuhr sich ungläubig mit der Hand über die Augen, aber es blieb dabei. Unter ihm weidete eine Herde ...
Einhörner!
Mindestens zwei oder drei Minuten lang stand er einfach da und starrte die Fabelwesen an, dann drehte er sich langsam herum
– und schrie nun wirklich vor Überraschung laut auf.
Auch zu seiner Linken fiel das Land sanft zum Meer hin ab, wenn auch nicht ganz so unendlich weit wie auf der anderen Seite.
Und unter ihm am Strand lag Camelot.
Natürlich war es nicht wirklich Camelot. Es war das, was Camelot vielleicht irgendwann einmal hatte werden sollen; die Vision, die hinter der aus Stein erbauten Stadt steckte. Dieses Camelot war zehnmal so groß wie das König Artus' und hundertmal so prachtvoll, denn seine Mauern bestanden tatsächlich aus Gold. Tausende und Abertausende von Menschen mussten in seinen Mauern leben und allein die Burg erschien Lancelot gewaltig genug, um mehr Einwohnern Platz zu bieten als die ganze Stadt auf der anderen Seite.
Dennoch war die Ähnlichkeit unübersehbar. Wie das Camelot König Artus' war auch diese Stadt an drei Seiten von Wasser umschlossen, wenn es auch auf einer Halbinsel lag statt in einer Flussbiegung, und ihre Architektur folgte den gleichen komplizierten Regeln: Die Häuser wurden zur Stadtmitte hin allmählich höher und bildeten vier, wenn nicht fünf oder sechs ineinander liegende Verteidigungswälle, die es jedem Angreifer nahezu unmöglich machten,

bis zur Burg vorzudringen. Die Stadt wirkte wie ein gemauertes Gebirge, so uneinnehmbar und trutzig wie ein von Menschenhand geschaffenes Massiv.
Von Menschenhand ...?
Lancelot war nicht sicher, dass dieses Wort das richtige war. Er hatte die Gestalten unten im Dorf nicht genau erkennen können, aber zwischen ihm und dem Ort weideten Einhörner und nach allem, was er nun sah, war er ziemlich sicher, dass er vorhin tatsächlich eine Elfe gesehen hatte. Im Grunde gab es keinen Zweifel mehr, nur erschien ihm der Gedanke trotz allem immer noch so bizarr, dass er ihn einfach nicht wahrhaben wollte: Dies war das Land, das er in Dagdas Vision gesehen hatte.
Avalon.
Er befand sich auf Avalon, der Tir Nan Og, der Insel der Unsterblichen.
Eine Bewegung erweckte seine Aufmerksamkeit. Lancelot sah genauer hin und gewahrte ein silbernes Funkeln, so winzig wie feine Glassplitter im Gras vor dem Hintergrund der Stadtmauer. Aber dieser Eindruck kam nur durch die Gewaltigkeit der Dimensionen zustande. In Wirklichkeit war es eine Reihe von mindestens fünfzig, wenn nicht hundert Reitern, die silbergepanzerte Pferde ritten und Rüstungen aus demselben schimmernden Metall trugen. Der Krieger in ihm verlängerte den Weg der glitzernden Silberschlange in Gedanken und stellte mit einem Anflug von Besorgnis fest, dass die Männer ziemlich genau auf die Stelle am Waldrand zu hielten, an der er stand. Aber dabei mochte es sich um einen reinen Zufall handeln. Außerdem würden noch Stunden vergehen, bis sie hier waren, selbst wenn sie schnell ritten.

Außerdem – warum sollte er sie fürchten? Das hier war Avalon, nicht nur die Insel der Unsterblichkeit, sondern auch das Land des ewigen Friedens. Er lächelte nervös, um seine eigene Unsicherheit zu überspielen, hörte ein Geräusch hinter sich und reagierte ganz instinktiv, aber in krassem Gegensatz zu dem, was er gerade noch gedacht hatte: Mit einem einzigen Schritt wich er in den Wald zurück und duckte sich hinter einen der glatt polierten Stämme. Das Geräusch wiederholte sich und er konnte nun hören, dass es direkt aus der Richtung kam, aus der er auch selbst gekommen war. Vorsichtig schob er den Kopf hinter seiner Deckung hervor und prallte erschrocken zurück.

Er hatte sich gerade noch rechtzeitig in Sicherheit gebracht. Aus der Dunkelheit des Waldes tauchten zwei, drei, schließlich fünf Reiter auf, die allesamt auf riesigen schwarzen Pferden saßen. Wie ihre Reiter waren auch die Tiere ganz in schwarzes, Licht schluckendes Eisen gehüllt. Handlange Stacheln ragten an verschiedenen Stellen aus den Rüstungen. Die Helme der Reiter hatten die Form schrecklicher Drachenschädel. Es war dieselbe Art von Furcht erregender Rüstung, wie sie auch Mordred getragen hatte. Lancelots Herz begann wild zu schlagen. Die Männer bewegten sich langsam, hielten immer wieder an und richteten ihre Blicke zu Boden und manchmal senkte auch eines der schrecklichen Pferde den Schädel, aus dem ein schwarzes, handlanges Horn wuchs, fast, als wolle es wie ein bizarrer Bluthund Witterung aufnehmen. Es war nicht schwer, zu erkennen, dass diese Männer nach etwas suchten.

Genauer gesagt: nach jemandem.

Nach ihm.
Die Reiter kamen allmählich näher. Kaum weiter als eine Armeslänge entfernt hielt der vorderste sein Tier an und schüttelte enttäuscht den Kopf.
»Das ist sinnlos«, sagte er. Seine Stimme drang hohl und sonderbar verzerrt unter dem metallenen Drachenkopf hervor, dem sein Helm nachempfunden war. »Wir sind Avalon schon zu nahe. Verdammtes Hochelbenpack! Ihre Nähe verwischt jede Spur!«
Er griff sich mit beiden Händen an den Helm und zog ihn mit einer zornigen Bewegung über den Kopf. Darunter kam ein ebenso schmales wie edel geschnittenes Gesicht zum Vorschein, das Lancelot entfernt an das Mordreds erinnerte. Die beiden Männer sahen sich nicht wirklich ähnlich, aber das Gesicht des Reiters wies den gleichen harten Zug auf wie das Mordreds. Von dem Mann schien etwas wie eine fühlbare körperlose Kälte auszugehen.
In einem Punkt jedoch unterschied er sich von Mordred – und auch von allen anderen Menschen, denen Lancelot jemals begegnet war: Er hatte spitze Ohren.
Lancelot starrte ihn so fassungslos an, dass er für einen Moment sogar die Gefahr vergaß, in der er immer noch schwebte. Hätte der schwarze Krieger in diesem Moment den Kopf gedreht, hätte er ihn zweifellos gesehen, denn Lancelot war einfach wie gelähmt.
Der Reiter sah jedoch nicht in seine Richtung, sondern legte den Helm vor sich auf den Sattel und fuhr sich mit der freien Hand durch das Haar. Es war so schwarz wie seine Rüstung, aber nicht einmal annähernd so dunkel wie seine Augen.
Auch die anderen Reiter nahmen nach und nach ihre

Helme ab. Alle ihre Gesichter hatten den gleichen, ebenso düsteren wie edlen Zug, alle hatten schwarze Haare und noch schwärzere Augen und sie alle hatten die gleichen Fuchsohren wie ihr Anführer.

»Wir müssen weitersuchen«, sagte einer der anderen Männer. »Lady Morgaine wird nicht begeistert sein, wenn wir mit leeren Händen zurückkehren.«

Lady Morgaine? Lancelot wurde hellhörig. Etwa Morgaine le Faye? Dann konnte es unmöglich ein Zufall sein, dass diese Reiter hier aufgetaucht waren. Aus seinem Verdacht wurde Gewissheit. Sie waren auf der Suche nach ihm!

»Lady Morgaine«, antwortete der erste Reiter mit einem freudlosen Lachen, »wird uns wahrscheinlich töten, wenn wir mit leeren Händen zurückkommen. Allerdings weiß ich nicht, was ich mehr fürchten soll: ihren Zorn oder die Vorstellung, denen da in die Hände zu fallen.«

Er deutete mit einer Kopfbewegung auf die Kette aus Silberfunken, die sich weiter in ihre Richtung bewegte, ohne jedoch sichtbar näher gekommen zu sein.

Sein Begleiter schnaubte abfällig. »Tuata!«, sagte er. »Verweichlichte Schwächlinge!«

»Das mag sein«, antwortete der Reiter. »Unglückseligerweise sind es ziemlich viele verweichlichte Schwächlinge. Und selbst wenn wir ihnen gewachsen wären – du kennst Lady Morgaines Befehl. Keinen Kampf. Wir sind zu weit auf das Gebiet der Tuata vorgestoßen. Ein Zusammenstoß hier könnte einen Krieg auslösen.«

Das andere Spitzohr wirkte nicht überzeugt, aber es widersprach nicht, sondern beließ es bei einem missmutigen Achselzucken. »Also suchen wir den Bengel«, knurrte er.

»Und das besser schnell«, fügte der andere hinzu. »Die Tuata sind nicht blind und dies hier ist ihr Land. Sie werden unsere Spuren sehen. Wir müssen von hier verschwunden sein, wenn sie den Waldrand erreichen.«
Er hob die Stimme und drehte sich halb im Sattel herum und Lancelot zog sich hastig weiter hinter seine Deckung zurück, sodass er ihn nun nicht mehr sah, sondern nur noch seine Stimme hörte.
»Zwei von euch reiten zurück bis zu der Stelle, an der wir seine Spur verloren haben! Wir anderen schwärmen hier aus und suchen den Waldrand ab. Aber gebt Acht, dass euch die Tuata nicht sehen! Ich möchte nicht als der in die Annalen eingehen, der den ersten Krieg auf Avalon seit tausend Jahren ausgelöst hat!«
Lancelot konnte hören, wie er seinen Helm wieder aufsetzte, dann wurde für einen kurzen Moment Hufgetrappel laut und danach kehrte wieder Stille ein.
Aber für wie lange?
Es gab jetzt keinen Zweifel mehr daran, dass die Männer in den schwarzen Rüstungen nach ihm suchten. Er hatte nicht viel von dem verstanden, was die Krieger gesagt hatten, aber das Wenige reichte aus. Er war in höchster Gefahr. Dass sie ihn bisher noch nicht entdeckt hatten, war ein reines Wunder.
Er sah wieder zu der Stadt Avalon hin. Die Reiter – *Tuata* hatte der Spitzohrige sie genannt; was für ein sonderbares Wort: fremd, aber zugleich auch auf seltsame Weise vertraut wie so vieles – waren noch immer nicht sichtbar näher gekommen, aber ihre Rüstungen blitzten und funkelten im Sonnenlicht wie poliertes Silber. Dasselbe galt zweifellos auch für seine Rüstung. Sobald er den Wald ver-

ließ, musste er deutlich zu sehen sein, und zwar aus *beiden* Richtungen. Und selbst wenn es nicht so gewesen wäre: Lancelot war nicht sicher, dass er bei den silbernen Rittern tatsächlich sicherer wäre als bei den Spitzohren.
Hier konnte er jedoch auf keinen Fall bleiben. Früher oder später würden die Spitzohren seine Spur wieder finden oder durch einen bloßen Zufall über ihn stolpern.
Es gab nur einen Platz, an dem er sich verstecken konnte. Aufmerksam sah er zu der kleinen Ansiedlung hin. Er schätzte, dass es eine gute Meile bis dorthin war, aber der Hang war fast überall mit hüfthohem Gras bewachsen und es gab zahlreiche Büsche und kleinere Gehölze, die ihm Deckung gewähren würden. Natürlich brauchte er ein wenig Glück um es zu schaffen – um genau zu sein, eine *ganze Menge* Glück –, aber welche Wahl hatte er schon?
Lancelot sah sich noch einmal nach allen Seiten um, dann huschte er geduckt zwischen den Bäumen hervor und rannte auf ein niedriges Gebüsch zu, das vielleicht zwanzig oder fünfundzwanzig Schritte entfernt war. Bei jedem einzelnen dieser Schritte rechnete er damit, das Sirren einer Bogensehne zu hören oder donnernden Hufschlag. Aber das Wunder geschah: Er erreichte unbehelligt das Gebüsch und ließ sich schwer atmend dahinter auf die Knie fallen. Mindestens drei oder vier Minuten blieb er dort sitzen und suchte den Waldrand nach irgendwelchen Verfolgern ab. Aber es blieb dabei: Er hatte es geschafft.
Und das Glück blieb ihm treu. Er brauchte lange um sich dem Dorf zu nähern, denn er huschte von Deckung zu Deckung und wartete immer ab um sich zu überzeugen, dass ihn auch wirklich niemand verfolgte. Die letzten zweihundert Schritte stellten ein Problem dar, denn sie waren

vollkommen ohne Deckung und auch das Gras war kaum knöchelhoch.
Während er noch dastand und überlegte, hörte er ein Geräusch und im nächsten Augenblick trat eine schlanke Gestalt aus dem Gebüsch.
Lancelot vermochte nicht zu sagen, wer erschrockener war. Er oder der andere. Lancelot griff sofort nach dem Schwert und auch der andere prallte erschrocken zurück und machte eine Bewegung, als wollte er herumfahren und davonstürzen. Aber er führte sie nicht zu Ende. Der Ausdruck von Schrecken auf seinem Gesicht machte Verwirrung Platz, dann einer Mischung aus Bewunderung und Staunen.
Lancelot konnte nicht sagen, ob er einem Jungen oder einem Mädchen gegenüberstand. Er oder sie trug ein weißes, schlichtes Gewand, das bis zu seinen Knöcheln herabreichte und seine Gestalt vollkommen verdeckte. Er hatte sehr helles, fast weißes Haar, das bis weit über seine Schultern herabfiel, und auch sein Gesicht war von einer fast unnatürlichen Blässe und ließ keinerlei Rückschlüsse auf sein Geschlecht zu.
Außerdem hatte er spitze Ohren.
Eine ganze Weile standen sie sich schweigend gegenüber und blickten einander mit Verwirrung an. Lancelot war plötzlich sehr froh, den Helm wieder aufgesetzt zu haben, sodass man sein Gesicht nicht richtig erkennen konnte.
Schließlich war es der andere, der das immer unbehaglicher werdende Schweigen brach.
»Herr?«, fragte er zögernd.
Lancelot wusste nicht so recht, was er antworten sollte, zumal er spürte, dass der andere auf eine ganz bestimmte Re-

aktion wartete. Aber immerhin hatte er ihn *Herr* genannt, was auf eine gewisse Rollenverteilung schließen ließ, die er kannte.

»Wer bist du?«, fragte er ganz bewusst etwas grober, als nötig gewesen wäre.

»Arianda«, antwortete der andere hastig. »Mein Name ist Arianda, Herr.«

Prima, dachte Lancelot. Das half ihm wirklich weiter. War das nun ein Jungen- oder Mädchenname? »Was tust du hier?«, fragte er.

»Was ich hier ...?« Arianda blinzelte. Dann erschien der Versuch eines schüchternen Lächelns auf seinem Gesicht. »Aber ich ... ich wohne hier.«

»In diesem Dorf?« Lancelot deutete auf die Ansammlung niedriger heller Gebäude. Arianda nickte und Lancelot fügte hinzu: »Wie ist sein Name?«

Diese Frage war ein Fehler, das begriff er sofort. In Ariandas Augen, die von einem so strahlenden Blau waren, wie Lancelot es noch nie zuvor gesehen hatte, erschien ein neuerlicher Ausdruck von Verwirrung. Dann lachte er wieder, aber noch nervöser als zuvor.

»Ich verstehe, Ihr wollt mich auf die Probe stellen«, sagte er. »Das ist Edorals Rast.«

»Edorals Rast ...« Lancelot wiederholte das Wort ein paar Mal in Gedanken. Es klang sonderbar. »Bring mich hin.«

Diesmal war Ariandas Überraschung beim besten Willen nicht mehr zu übersehen. »Ihr ... Ihr wollt wirklich ...«

»In dein Dorf, ja«, unterbrach ihn Lancelot. »Was ist daran auszusetzen?«

»Nichts«, versicherte Arianda hastig. »Es ist nur ... es kommt selten vor, dass ein Tuata Edorals Rast besucht.

Um ehrlich zu sein, seid Ihr der Erste, solange ich mich erinnern kann.«
»Obwohl die Stadt so nahe ist?«
»Die Tuata verlassen Avalon nie«, antwortete Arianda. »So wenig, wie wir Avalon je betreten.« Er runzelte die Stirn. »Ihr stellt sonderbare Fragen für einen Tuata.«
Lancelot hob die Schultern. »Vielleicht bin ich ja gar nicht das, wofür du mich hältst.«
Für einen Moment verwandelte sich Ariandas Verwirrung vollends in Bestürzung, aber dann lachte er laut und sehr befreit auf. »Jetzt weiß ich, dass Ihr mich auf die Probe stellen wollt, Herr«, erklärte er. »Ihr wollt herausfinden, ob ich meine Lektionen auch richtig gelernt habe, nicht wahr?« Er schüttelte lachend den Kopf. »Nur ein Tuata kann diese Rüstung tragen. Sie würde jeden töten, der nicht reinen Blutes ist, wenn er auch nur versuchen würde sie anzulegen.«
»Sicher«, sagte Lancelot in etwas versöhnlicherem Tonfall. »Du hast wirklich gut aufgepasst, scheint mir. Und nun bring mich in dein Dorf.«
Irgendwie schien auch das nicht das zu sein, was Arianda zu hören erwartet hatte, aber das erschien Lancelot schon kaum noch wichtig. Er hatte bisher schon so viele Fehler gemacht, dass es auf einen mehr oder weniger gar nicht mehr ankam.
Und einen Moment später spielte es überhaupt keine Rolle mehr. Arianda wollte sich herumdrehen um zum Dorf voranzugehen, doch dann erstarrte er mitten in der Bewegung und das letzte bisschen Farbe wich aus seinem Gesicht. Lancelot fuhr herum und sah in dieselbe Richtung. Der Waldrand schien sich aufgetan zu haben und mindestens

ein Dutzend schwarz gepanzerter Gestalten auf gewaltigen schwarzen Einhörnern sprengte heran.

»Bei Dana!«, entfuhr es Arianda. »Dunkelelben? *Hier?* Aber wie ist das ...« Er fuhr zu Lancelot herum und seine Augen wurden noch größer. »Lauft, Herr! Bringt Euch in Sicherheit!«

»Nein!« Lancelot zog entschlossen sein Schwert. »Du läufst! Ich halte sie auf!«

Ariandas Gesichtsausdruck machte klar, dass er ernsthaft an seinem Verstand zweifelte, aber dann sah er noch einmal zu den herannahenden Reitern hin und der Anblick schien seine Zweifel wohl endgültig zu beseitigen, denn er fuhr herum und rannte los.

Lancelot befestigte fast gelassen den Schild an seinem linken Arm, klappte das Helmvisier herunter und trat den Reitern ruhig entgegen. Das Kräfteverhältnis erschien ihm nicht besonders fair; er stand allein gegen ein Dutzend berittener Gegner, die bestimmt auch nicht zum ersten Mal ein Schwert in der Hand hielten. Aber er hatte möglicherweise eine Überraschung für die Dunkelelben. Das Schwert in seiner Hand schrie nach Blut und diesmal würde es bekommen, was es wollte. Und so viel es wollte.

Die Reiter kamen rasch näher. Lancelot warf noch einmal einen Blick über die Schulter zurück und stellte voller Erleichterung fest, dass Arianda das Dorf schon fast erreicht hatte und dass auch keiner der Dunkelelben versuchte ihn einzuholen. Sonderbarerweise schien im Dorf selbst niemand von ihm und den Dunkelelben Notiz zu nehmen. Das Leben dort ging seinen normalen Gang. Und der Heereszug der silbernen Ritter war noch viel zu weit entfernt, als dass er irgendeine Hilfe von ihnen erwarten konnte.

Lancelot war es nur recht. Er würde auch allein mit den Angreifern fertig werden und er wollte nicht, dass noch mehr Unschuldige seinetwegen zu Schaden kamen.

Als der erste Reiter heransprengte, spreizte Lancelot leicht die Beine, knickte in den Knien ein und ergriff das Schwert mit beiden Händen. Die Klinge schnitt mit einem sirrenden Laut durch die Luft, traf den Oberschenkel des Reiters –

und wurde ihm aus der Hand geprellt.

Lancelot taumelte mit einem überraschten Schrei zurück und fiel gleich darauf auf den Rücken, als der Dunkelelb seinen Schild senkte und ihm vor die Brust stieß. Bunte Sterne explodierten vor seinen Augen und für einen Moment bekam er keine Luft mehr.

Mehr auf sich selbst wütend als auf den Mann, der ihn niedergeschlagen hatte, setzte er sich auf und tastete nach seinem Schwert. Er war ungeschickt gewesen, aber ein zweites Mal würde ihm das gewiss nicht passieren.

Als er aufstand, waren sämtliche Reiter herangekommen und hatten ihn eingekreist. Nur einer der Männer – der, der ihn gerade niedergeschlagen hatte – war aus dem Sattel gestiegen und kam langsam auf ihn zu. Lancelot packte sein Schwert fester.

»Gib auf«, sagte der Dunkelelb. »Ich will dich nicht verletzen.«

Statt zu antworten schwang Lancelot das Schwert zu einem wütenden Hieb.

Der Dunkelelb machte sich nicht einmal die Mühe, seinen Schild zu heben, sondern parierte den Hieb mit dem gepanzerten Unterarm. Das Runenschwert konnte das schwarze Eisen nicht durchdringen!

Noch bevor Lancelot auch nur die Zeit fand, richtig zu erschrecken, trat der Elb mit einem wütenden Knurren vor, deutete einen abermaligen Schildstoß an und versetzte Lancelot einen Faustschlag vor die Schläfe, als dieser auf die Finte hereinfiel und auszuweichen versuchte.
Sein Helm bewahrte ihn vor dem Schlimmsten, aber die Wucht des Hiebes reichte allemal, ihn in die Knie brechen zu lassen. Alles drehte sich um ihn. Er war nicht mehr in der Lage, sein Schwert festzuhalten; geschweige denn sich zu wehren. Brutal wurde Lancelot in die Höhe gerissen und quer über den Rücken des Pferdes geworfen, auf dessen Sattel sich der Reiter im nächsten Moment schwang. Während er noch mit aller Kraft darum kämpfte, nicht das Bewusstsein zu verlieren, riss der Mann das Pferd herum und die gesamte Gruppe galoppierte dem Waldrand entgegen.
»Beeilt euch!«, schrie der Elb. Immerhin erkannte Lancelot jetzt seine Stimme. Es war der Mann, den er am Waldrand beobachtet hatte. »Der Zauber hält nicht mehr lange an! Wenn die Tuata uns sehen, ist es aus!«
Lancelot hob stöhnend den Kopf. Das Ergebnis war ein grober Fausthieb zwischen seine Schulterblätter, der ihm den Atem nahm.
»Rühr dich nicht, Bursche!«, knurrte der Dunkelelb. »Oder ich werde wirklich grob.«
Lancelot hätte es nicht einmal gekonnt, wenn er es gewollt hätte. Sein Kopf dröhnte noch immer, Blut lief ihm aus Mund und Nase und machte ihm das Atmen schwer. Der Mann hatte ihn so spielend niedergerungen, wie ein Erwachsener ein Kind niedergeschlagen hätte, das ihn mit einem Spielzeugschwert attackierte. Und so bitter die Ein-

sicht auch war – dieser Vergleich kam der Wahrheit ziemlich nahe. Die Magie der Rüstung, die ihn in Camelot praktisch unbesiegbar machte, wirkte hier nicht. Lancelot konnte von Glück sagen, dass er überhaupt noch lebte.
Wie lange dieser Zustand noch anhalten würde, wusste er nicht. Die Männer hatten ganz offensichtlich Befehl, ihn lebend bei Morgaine le Faye abzuliefern, aber so, wie er Morgaine mittlerweile zu kennen glaubte, nur aus einem einzigen Grund: Morgaine wollte ihn selbst töten.
Sie erreichten den Elfenbeinwald und sprengten ein gutes Stück weit hinein, bis ihr Tempo allmählich geringer wurde und sie schließlich anhielten. Lancelot wurde grob aus dem Sattel gezerrt und auf die Füße gestellt. Jemand riss ihm den Schild vom Arm, ein anderer schwarzer Riese nahm ihm den Helm ab.
»Wirst du jetzt vernünftig sein?«, fragte der Dunkelelb, der ihn entwaffnet hatte. Er hatte sein Helmvisier hochgeklappt, sodass Lancelot in sein Gesicht blicken konnte, nicht in eine eiserne Drachenfratze, aber er konnte sich des unheimlichen Eindruckes nicht erwehren, in das aufgerissene Maul eines Drachen zu blicken, der gerade einen Menschen verschlungen hatte.
Er nickte.
»Gut«, sagte der Dunkelelb. »Dann kannst du jetzt selbst reiten. Versprichst du mir, keinen Fluchtversuch zu unternehmen, oder soll ich dir die Beine brechen, damit du keine Dummheiten machst?«
In seiner Stimme war nicht die Spur von Humor und Lancelot begriff, dass die Drohung bitterernst gemeint war.
»Ich werde nicht fliehen«, versprach er.
Die abgrundtief schwarzen Augen des Dunkelelbs starrten

ihn einen Moment lang durchdringend an, aber dann nickte er. »Gut. Schnell jetzt.«

Er ergriff Lancelot an der Schulter, drehte ihn herum und versetzte ihm einen Stoß, der ihn ungeschickt auf ein reiterloses schwarzes Einhorn zustolpern ließ. Rasch, bevor der Dunkelelb auf die Idee kommen konnte, seinem Wunsch mit weiteren Faustschlägen Nachdruck zu verleihen, kletterte er auf seinen Rücken und griff nach den Zügeln. Auch sein Bezwinger stieg wieder in den Sattel und sie ritten ohne ein weiteres Wort los.

Ihr Weg führte sie tiefer und tiefer in den Elfenbeinwald hinein. Lancelot vermochte nicht zu sagen, in welche Richtung sie ritten, den es gab in diesem unheimlichen Wald rein gar nichts, woran er sich orientieren konnte. Die Baumstämme waren frei von Moos, das ihm die Himmelsrichtung hätte sagen können, und er konnte den Blick so oft in den Himmel heben, wie er wollte, die Sonne schien stets genau im Zenit zu stehen.

Trotzdem hielt er unentwegt nach einem möglichen Fluchtweg Ausschau. Er hatte keine Sekunde lang vorgehabt, das gegebene Wort zu halten. Was immer ihm der Dunkelelb auch antun konnte, wenn er einen Fluchtversuch unternahm und scheiterte, konnte unmöglich so schlimm sein wie das, was ihn erwartete, wenn er Morgaine le Faye in die Hände fiel. Er hatte den abgrundtiefen Hass in den Augen der Hexe nicht vergessen, als sie sich in der Kristallhöhle begegnet waren.

Doch es ergab sich keine Gelegenheit zur Flucht. Vielleicht ahnten die Dunkelelben sein Vorhaben, vielleicht war es auch nur ihr angeborenes natürliches Misstrauen – gleichwie, Lancelot war nicht einen Moment unbeobach-

tet. Darüber hinaus war er nicht einmal sicher, ob es ihm etwas genutzt hätte. Das Tier, das er ritt, war ein riesiges schwarzes Schlachtross, ein dunkles Spiegelbild des Einhorns, das er selbst in Camelot ritt. Wenn es diesem Tier auch nur annähernd ähnelte, dann würde es seinen Befehlen wahrscheinlich gar nicht gehorchen.
Stunde um Stunde ritten sie durch den Elfenbeinwald. Die Dunkelelben und ihre Tiere schienen das Wort Erschöpfung ebenso wenig zu kennen, wie sich die Sonne hoch über ihren Köpfen auch nur einen Deut vom Zenit wegbewegte. Vielleicht gab es in dieser Welt der Elben und Einhörner so etwas wie Zeit gar nicht.
Endlich wurde es weit vor ihnen zwischen den Baumstämmen wieder hell. Sie näherten sich jedoch nicht dem Waldrand, sondern ritten auf eine große Lichtung hinaus, vor deren gegenüberliegendem Rand eine Gruppe weiterer Dunkelelben auf Einhörnern auf sie wartete.
Eine der berittenen Gestalten unterschied sich von den anderen. Sie war kleiner und deutlich schlanker und statt einer stachelbesetzten Rüstung mit einem eisernen Drachenschädel trug sie einen schwarzen Mantel und ein Diadem aus nachtfarbenen Diamanten. Morgaine le Faye.
Die Hexe kam ihnen entgegengeritten, begleitet von zwei besonders großen, breitschultrigen Gestalten in schwarzen Rüstungen, die vermutlich ihre persönliche Leibgarde darstellten. Lancelot hatte fast sicher angenommen, auch auf Mordred zu treffen, aber von König Artus' Sohn war nichts zu sehen.
Morgaine zügelte ihr Pferd unmittelbar vor ihm, starrte ihn stumm und hasserfüllt an und wandte sich dann an seinen Begleiter.

»Das hast du gut gemacht. Ich werde dafür sorgen, dass du angemessen belohnt wirst. Hat euch jemand gesehen?«
»Ein Junge«, gestand der Dunkelelb. »Sonst niemand. Es waren Tuata in der Nähe, aber Euer Zauber hat uns zuverlässig vor ihren Augen verborgen.«
»Nur ein Junge?«, vergewisserte sich Morgaine.
»Er hat mit ihm geredet«, sagte der Dunkelelb. »Ich weiß nicht, was er ihm verraten hat.«
»Zerbrecht Euch darüber nicht den Kopf.« Morgaine le Faye machte eine wegwerfende Handbewegung. »Wer wird ihm schon glauben? Ein Kind, das Geschichten erzählt, um sich interessant zu machen. Seit hundert Jahren hat es keiner von uns gewagt, den Elfenbeinwald auch nur zu betreten. Warum sollten wir den Frieden riskieren, um einen Jungen zu fangen?«
Sie schüttelte den Kopf, dann wandte sie sich mit veränderter Stimme direkt an Lancelot. »Du dummes, dummes Kind«, sagte sie, allerdings eher verärgert als wirklich zornig. »Weißt du eigentlich, was du getan hast? Deinetwegen hätte ein Krieg ausbrechen können!«
»Und das schreckt Euch?« Lancelot wusste selbst nicht, woher er den Mut zu diesen Worten nahm. Aber vielleicht war es auch nur Trotz. »Ich dachte, Ihr liebt den Krieg. Immerhin lasst Ihr nichts unversucht, um Camelot damit zu überziehen.«
Morgaine blickte ihn einen Herzschlag lang vollkommen ausdruckslos an, dann beugte sie sich im Sattel vor und versetzte ihm eine schallende Ohrfeige. Der Schlag warf Lancelots Kopf in den Nacken und trieb ihm die Tränen in die Augen.
»Artus?« Morgaines Stimme wurde schneidend. »Ich bin

gerührt über deine Sorge. Schade, dass ich dich nicht zurückschicken kann. Ich bin fast versucht es zu tun, nur damit du siehst, welchen Dienst du deinem heiß geliebten König erwiesen hast.«

Wie meinte sie das? Lancelot versuchte sich einzureden, dass Morgaines Worte nur dem einen Zweck dienten, ihn zu quälen, aber irgendetwas sagte ihm, dass es nicht so war.

»Und was habt Ihr jetzt vor?«, fragte er, wobei er vergeblich versuchte die Tränen aus seinen Augen wegzublinzeln. »Wenn Ihr mich töten wollt, worauf wartet Ihr dann noch?«

»Töten?« Morgaine schien Gefallen an dem Gedanken zu finden, ihrem Gesichtsausdruck nach zu schließen. Aber dann schüttelte sie den Kopf und ein kaltes Lächeln breitete sich auf ihren Zügen aus.

»Nein«, sagte sie. »So einfach kann ich es dir nicht machen, fürchte ich.« Sie seufzte. »Und ich hatte so große Hoffnungen in dich gesetzt. Aber es ist wohl meine Schuld. Ich hätte wissen müssen, dass ich nicht zu viel von einem Küchenjungen erwarten darf.«

Lancelot hatte sich trotz aller Mühe nicht gut genug in der Gewalt, um seine Überraschung vollends zu verbergen.

Morgaine lachte hässlich. »Du hast doch nicht wirklich gedacht, ich wüsste nicht, wer du bist?«, fragte sie. »Ich wusste es vom ersten Augenblick an.«

»Warum ...?«, murmelte Lancelot.

»– ich nichts gesagt habe?« Morgaine lachte wieder. »Aber warum sollte ich? Ich muss gestehen, dass mich die Vorstellung amüsiert hat, einen kleinen Küchenjungen an Artus' berühmter Tafel sitzen zu wissen. Doch ich muss auch gestehen, dass ich nicht geglaubt habe, dass du uns so viel Ärger bereiten könntest.« Das Lächeln auf ihrem Gesicht erlosch wie weggeblasen und machte einem Ausdruck gnadenloser Härte Platz.

»Aber damit ist es ja nun vorbei. Du hattest deine Chance. Ich wünschte, du hättest dich anders entschieden, doch nun ist es zu spät.«

»Mir bricht das Herz«, sagte Lancelot hämisch.

»In spätestens einer Stunde wirst du dir wünschen, dass genau das geschieht«, sagte Morgaine böse. »Ich fürchte nur, dass dieser Wunsch nicht in Erfüllung gehen wird. Dies hier ist die Tir Nan Og, Lancelot. Die Insel der Unsterblichkeit. Manchmal kann es sich als Fluch erweisen, nicht sterben zu können.«

Sie machte eine herrische Geste zu dem Mann an Lancelots Seite. »Bringt ihn fort. Und verschwendet keine Zeit mehr. Ihr wisst, dass der Drache nicht gerne wartet.«

»Aber Herrin!«, entfuhr es dem Dunkelelben. »Der Drache! Ich meine: Er ... er ist doch noch fast ein Kind und –«

»Du hast gehört, was ich gesagt habe!«, unterbrach ihn Morgaine zischend. »Willst du meinen Befehl ausführen oder soll ich einen deiner Männer beauftragen? Der Appetit des Drachen reicht möglicherweise auch für zwei.«

»Nein, Mylady«, antwortete der Dunkelelb. Ein deutlicher Unterton von Furcht hatte sich in seine Stimme geschlichen. »Ich werde gehorchen.«

»Was für eine Überraschung«, sagte Morgaine gehässig.

Und Lancelot sprang.

Mit einer Kraft, die ihm die pure Verzweiflung verlieh, stieß er sich ab, sprang auf Morgaines Pferd und war hinter ihr, noch bevor sie richtig begriff, wie ihr geschah. Morgaine schrie erschrocken auf und mindestens ein halbes Dutzend Dunkelelben griff gleichzeitig nach ihren Waffen und bewegte sich auf sie zu und Lancelot schlang den linken Arm um Morgaines Hals und zwang mit der anderen Hand ihren Kopf so weit zurück, dass sie kaum noch atmen konnte. Aus Morgaines Schrei wurde ein ersticktes Keuchen.

»Niemand rührt sich!«, rief er. »Noch einen Schritt weiter und ich breche ihr das Genick!«

Tatsächlich erstarrten die meisten Dunkelelben mitten in der Bewegung. Nur zwei oder drei näherten sich ihm weiter, hielten dann aber ebenfalls an, als er Morgaines Kopf noch ein winziges Stück weiter zurückbog. »So und jetzt können wir weiterreden«, sagte er.

»Ich ... bekomme ... keine Luft ... mehr«, würgte Morgaine mühsam hervor.

»Ach was«, antwortete Lancelot. »Habt Ihr mir nicht gerade selbst erklärt, dass es hier keinen Tod gibt? Und wo wir schon einmal dabei sind: Wie würde es Euch gefallen, für den Rest Eures unendlich langen Lebens an einen Besenstiel gebunden zu werden, damit Euer Kopf nicht unentwegt auf Euren Schultern hin und her rollt?«

»Gib auf, du Dummkopf!«, zischte der Dunkelelb. »Du hast keine Chance!«

Seine Behauptung entbehrte nicht einer gewissen Wahrheit. Ein gutes Dutzend Schwerter und Speerspitzen konnte Lancelot auf sich gerichtet sehen und wie viele auf seinen Rücken zielten, das wollte er lieber gar nicht wissen. Statt die Warnung jedoch zu beherzigen, bog er Morgaines Kopf noch weiter zurück, sodass sie nun endgültig keine Luft mehr bekam. Nach einem Moment lockerte er seinen Griff jedoch wieder.

Morgaine rang gurgelnd nach Atem. »Du ... du Narr«, keuchte sie. »Dein Tod ... wird dafür noch ... noch tausendmal schlimmer werden als der, den ... den ich dir ohnehin zugedacht hatte. Du weißt nicht, wen du herausforderst.«

»Eine Hexe?«, vermutete Lancelot.

»Dafür wirst du büßen«, drohte Morgaine. Sie hatte Mühe, überhaupt zu sprechen, aber das nahm ihren Worten nichts von ihrer Drohung.

»Wahrscheinlich«, antwortete Lancelot. »Aber im Augenblick sieht es wohl eher so aus, als hätte ich hier das Sagen. Schickt Eure Leute fort.«

Morgaine lachte, allerdings nur für einen Moment, genau so lange, wie Lancelot brauchte, um den Druck auf ihren Hals noch weiter zu verstärken. Ihre Nackenwirbel knackten hörbar und Lancelot gemahnte sich zur Vorsicht. Er wollte sie nicht umbringen.

»Ich meine es ernst. Schickt Eure Leute weg oder Ihr sterbt vor mir!«

»Ihr ... habt gehört, was er ... gesagt hat«, keuchte Morgaine. »Verschwindet!«

Der Dunkelelb, der offensichtlich so etwas wie den Führer des kleinen Trupps darstellte, zögerte. »Herrin ...«

»Verschwindet!« Morgaine versuchte zu schreien, aber sie brachte nur ein halb ersticktes Keuchen zustande. Trotzdem zögerte der Krieger nur noch einen Moment, ehe er seinen Begleitern das Zeichen zum Abziehen gab. Als er selbst sein Pferd herumdrehen wollte, rief Lancelot ihn noch einmal zurück.

»Halt!«

Der Dunkelelb sah ihn hasserfüllt an.

»Mein Schwert!«, verlangte Lancelot. »Gebt es mir. Sehr vorsichtig und mit dem Griff voran. Und versucht nichts, worunter Eure Herrin leiden würde.«

»Gib ihm schon das verdammte Schwert, du Narr«, zischte Morgaine.

Der Dunkelelb tat, was Morgaine von ihm verlangt hatte, wenn auch langsam und mit sichtbarem Widerwillen. Lancelot konnte sehen, wie es hinter seiner Stirn arbeitete. Vermutlich war er ohne weiteres in der Lage, ihn binnen eines Augenblickes zu töten. Aber er wagte es nicht. Der Druck, den Lancelot auf Morgaines Hals ausübte, war so groß, dass eine einzige unbedachte Bewegung ausreichen musste, um Morgaine das Genick zu brechen. Lancelot seinerseits fragte sich, wie lange er die Anstrengung noch aushalten würde. Die Muskeln in seinem rechten Arm waren schon jetzt verkrampft und taten furchtbar weh.

Hastig nahm er das Schwert entgegen, deutete dem Dunkelelben endlich zu verschwinden und versetzte Morgaine einen Stoß, der sie aus dem Sattel schleuderte und zu Boden warf. Als sie aufzustehen versuchte, hielt ihr Lancelot die Schwertspitze an die Kehle und Morgaine erstarrte in einer fast grotesk aussehenden Haltung irgendwo zwischen Stehen und Hocken.

»Versucht ja keine Tricks!«, sagte Lancelot drohend. »Ich weiß, wozu Ihr fähig seid! Eine falsche Bewegung und ich stoße zu.«

Morgaine richtete sich ganz langsam auf. Ihre Augen loderten vor Hass. »Ich glaube nicht, dass du das wirklich weißt, du kleiner, dummer Küchenjunge«, sagte sie hasserfüllt. »Aber du wirst es herausfinden, das verspreche ich dir.«

Lancelot machte eine befehlende Kopfbewegung. »Geh los!«
»Wohin?« Morgaine rührte sich nicht.
»Du wirst mich zurückbringen«, befahl Lancelot. »Dreh dich herum. Und dann los!«
Morgaine gehorchte, wenn auch widerstrebend. Lancelot bedrohte sie weiter mit dem Schwert und sie schien seine Drohung auch wirklich ernst zu nehmen – aber er war schon lange nicht mehr sicher, ob er sie wirklich töten könnte. Einen Menschen im Kampf zu töten war schlimm genug, aber dabei konnte man sich wenigstens noch einreden, dass es in Notwehr geschah. Aber ihr das Schwert in den Rücken stoßen? Das wäre glatter Mord.
Sie verließen die Lichtung. Wie ein Schatten folgte ihnen das Reitpferd Morgaines. Nachdem sie eine Zeit lang zwischen den spiegelglatten weißen Stämmen hindurchmarschiert waren, schüttelte Morgaine wütend den Kopf und sagte: »Du glaubst wirklich, du könntest entkommen, wie? Du bist noch dümmer, als ich dachte.«
»Dummerweise bin ich im Moment auch im Besitz des Schwertes«, sagte Lancelot.
Morgaine lachte und schüttelte erneut den Kopf, aber diesmal merkte er, dass diese Bewegung wohl eher dem Zweck galt, dabei unauffällig nach rechts und links in den Wald zu blicken.
»Du Narr!«, sagte sie. »Glaubst du wirklich, meine Männer sind nach Hause gegangen, als wäre nichts geschehen?«
Das hätte Lancelot keine Sekunde lang geglaubt. Aber wenn er ehrlich war, dann hatte er nicht einmal die Spur eines Planes, was er weiter tun sollte. Er hatte einfach rea-

giert und seine Chance ergriffen, ohne über das Danach nachzudenken.
»Die Tuata«, sagte er. »Bring mich zu ihnen.«
Morgaine zog eine verächtliche Grimasse. »Niemals. Sie würden mich auf der Stelle töten.«
»Wenn du es nicht tust, geschieht dasselbe hier«, drohte Lancelot.
Morgaine blieb stehen, drehte sich herum und blickte ihm direkt in die Augen. Ein schmales, böses Lächeln erschien auf ihrem Gesicht. »Dann tu es«, sagte sie. »Ein rascher Tod ist eine Gnade gegen das, was mich bei den Tuata erwartet. Aber ich glaube nicht, dass du es tust. Wenn ich es mir genau überlege, dann glaube ich nicht, dass du überhaupt fähig bist, jemanden kaltblütig umzubringen.«
»Willst du es herausfinden?«, fragte Lancelot drohend. Innerlich verzweifelte er fast. Es war ein Fehler gewesen, Morgaine le Faye in die Augen zu sehen. Sie schien in ihm zu lesen wie in einem offenen Buch.
Und wie um ihm dies zu beweisen, hob sie die Hand. Ihre schmalen Finger schlossen sich um die Klinge des Runenschwertes. Langsam drückte sie die Waffe herunter, bis ihre Spitze direkt an ihrem Herz ruhte.
»Stoß zu«, sagte sie herausfordernd. »Nur keine Angst. Es ist ganz leicht. Nur ein kleiner Ruck. Du wirst es kaum spüren.«
Lancelot fluchte, riss das Schwert zurück und versetzte ihr im selben Moment mit der anderen Hand einen Hieb, der sie haltlos zurücktaumeln ließ. Er hatte nicht einmal mit großer Kraft zugeschlagen, aber seine Finger steckten in einem Handschuh aus Eisen. Morgaine prallte gegen einen

Baum und schlug hart mit dem Hinterkopf gegen den eisenharten Stamm.
Noch während sie benommen zu Boden sackte, wurde der Wald rings um Lancelot lebendig. Schatten und schwarz glitzernde Bewegungen tauchten zwischen den Bäumen auf und er hörte aufgeregte Stimmen und das Dröhnen eisenbeschlagener Pferdehufe; als wäre die Dunkelheit ringsum lebendig geworden, um nun aus allen Richtungen zugleich auf ihn einzustürmen. Wie Morgaine gesagt hatte, waren ihnen die Dunkelelben gefolgt, gerade außerhalb seiner Sichtweite. Diesmal hatte er keine Gnade von ihnen zu erwarten, das war ihm klar.
Er sprang auf Morgaines Pferd und sprengte los.
Zu seiner Erleichterung reagierte das schwarze Einhorn auf seine Befehle und es entwickelte binnen Sekunden eine ebenso fantastische Geschwindigkeit wie sein weißes Gegenstück in der anderen Welt. Hinzu kam, dass der Elfenbeinwald keinerlei Unterholz besaß und die Stämme weit auseinander standen. Binnen weniger Augenblicke jagte er wie ein von der Sehne geschnellter Pfeil dahin, zehnmal schneller, als es jedem normalen Pferd möglich gewesen wäre; auf jeden Fall aber schnell genug, um jeden Verfolger abzuschütteln.
Lancelot drehte den Kopf, erschrak bis ins Mark und verbesserte sich in Gedanken.
Jeden Verfolger, der nicht ebenfalls auf einem Einhorn ritt. Unglückseligerweise galt das nicht für die Dunkelelben. Fünf oder sechs der schwarz gekleideten Gestalten waren hinter ihm und sie holten auf. Sie waren einfach die besseren Reiter.
Dennoch dachte Lancelot nicht daran, aufzugeben. Dieser

sonderbare Wald musste doch irgendwann einmal aufhören. In wirklich freiem Gelände würde er vielleicht schnell genug reiten können, um seine Verfolger doch noch abzuschütteln. Er beugte sich tief über den Hals des Einhorns und ließ die Zügel knallen.

Schneller und schneller jagten sie durch den Wald. Als Lancelot nach einer Weile zurücksah, stellte er fest, dass sich die Anzahl der Verfolger auf drei verringert hatte. Diese drei aber waren deutlich näher gekommen. Und ob drei, dreißig oder nur ein einziger, spielte keine Rolle. Lancelot hatte ja gerade erlebt, dass er nicht einmal einem einzigen dieser schrecklichen schwarzen Krieger gewachsen war.

Und plötzlich hörte der Wald auf. Vor ihm lag ein sanft abfallender Hang, der zum Ufer eines kleinen Sees hinabführte. Auf der Wiese und unten am Wasser weideten mindestens ein Dutzend schneeweißer Einhörner.

Lancelots Tier bäumte sich so erschrocken auf, dass seine hastige Reaktion zu spät kam. Er griff nach dem Sattelknauf um sich daran festzuklammern, konnte aber trotzdem nicht verhindern, dass er aus dem Sattel glitt und ungeschickt zu Boden stürzte. Die wirbelnden Hufe des Einhorns verfehlten ihn um Haaresbreite. Lancelot zog erschrocken den Kopf zwischen die Schultern, verlor durch die hastige Bewegung endgültig den Halt und rollte unter gewaltigem Getöse den Hang hinab. Erst auf halber Strecke zum See kam er zum Liegen und stemmte sich benommen in eine sitzende Position hoch.

Was er sah, war höchst erstaunlich.

Das schwarze Einhorn, das ihn abgeworfen hatte, stand am Waldrand und tänzelte nervös auf der Stelle. Seine Oh-

ren bewegten sich ununterbrochen hin und her. Irgendetwas hier schien ihm große Angst zu bereiten.
Lancelot sah sich alarmiert um. Was dazu angetan war, diesem schier unverwundbaren Fabelwesen Angst zu machen, das war vermutlich erst recht ein Grund für *ihn*, auf der Hut zu sein. Avalon war vielleicht das Land der Elben und Fabelwesen, aber es war ganz und gar nicht ungefährlich.
Er sah jedoch keinerlei Monster oder andere Ungeheuer. Die einzigen anderen Lebewesen zwischen dem Waldrand und dem See waren die weißen Einhörner.
Die Tiere hatten aufgehört zu grasen oder Wasser zu trinken und sahen aufmerksam zum Waldrand hin. Das schwarze Einhorn tänzelte noch einen Moment unruhig auf der Stelle, dann fuhr es herum und verschwand mit wirbelnden Hufen im Wald.
Nur einen Augenblick später jedoch sprengten die drei Dunkelelben zwischen den Baumstämmen hervor.
Auch ihre Tiere scheuten, kaum dass sie den Wald verlassen hatten, aber ihre Reiter hatten sie eindeutig besser in der Gewalt. Sie wurden nicht abgeworfen, sondern brachten ihre Tiere auf halber Strecke zwischen dem Waldrand und Lancelot zum Stehen. Erstaunlicherweise stürzten sie sich nicht sofort auf ihn, sondern blieben unschlüssig stehen und sahen sich nervös um.
Auch die Einhörner hatten die Köpfe gehoben und sahen aufmerksam zu den drei Neuankömmlingen hin. Zwei, drei Tiere machten einen zögernden Schritt in ihre Richtung und blieben wieder stehen.
Lancelot stand vorsichtig auf, wirbelte herum, rannte aufs Wasser zu und im gleichen Moment brach die Hölle los.

Zwei Dunkelelben sprengten los um ihn einzuholen – und die Einhörner stürzten sich aus allen Richtungen zugleich auf ihre schwarzen Brüder.
Die Dunkelelben kamen nicht einmal in Lancelots Nähe. Fünf, sechs, sieben Einhörner zugleich prallten gegen die Flanken ihrer Tiere. Eines der schwarz gepanzerten Rösser stürzte mit einem gellenden Wiehern zu Boden, als sich ein gedrehtes Elfenbeinhorn knirschend durch seine Rüstung grub. Das andere blieb auf den Beinen, strauchelte aber und warf seinen Reiter ab. Der Mann stürzte schwer ins Gras und blieb liegen und im Hintergrund sah er, dass die Einhörner auch den dritten Reiter attackierten, der am Waldrand zurückgeblieben war. Der Mann zog sich hastig zurück und Lancelot hetzte weiter und lief durch das aufspritzende Wasser ein gutes Stück weit in den See hinein, bevor er stehen blieb und sich wieder herumdrehte.
Was er sah, ließ ihn innerlich vor Entsetzen erschauern. Die beiden Reiter hatten sich wieder hochgekämpft und flohen in schierer Panik in Richtung Waldrand. Die Einhörner schienen nicht einmal Notiz von ihnen zu nehmen. Dafür stürzten sie sich mit noch größerer Wucht auf ihre schwarzen Brüder. Das gestürzte Tier hatte keine Chance, auf die Beine zu kommen, und den anderen erging es kaum besser. Die beiden Einhörner wurden regelrecht in Stücke gerissen. Lancelot hatte niemals zuvor eine solche Wut und Gnadenlosigkeit erlebt wie die, mit der die Einhörner über ihre dunklen Brüder herfielen. Selbst als sich die Tiere schon lange nicht mehr rührten, trampelten sie noch weiter auf den blutigen Kadavern herum und stießen mit ihren schrecklichen Hörnern zu.

Es war ein Grauen erregender Anblick. Die ehemals weißen Fabelwesen schienen sich in blutbesudelte Dämonen verwandelt zu haben und der Bereich am Seeufer hatte sich in den Schauplatz eines Wirklichkeit gewordenen Albtraumes verwandelt.
Lancelot starrte eine Weile erschüttert auf das entsetzliche Bild. Endlich machte er einen Schritt in Richtung Ufer – und blieb sofort wieder stehen.
Eines der Einhörner hatte von seinem Opfer abgelassen und sich in seine Richtung gedreht. Sein Gesicht und sein Hals waren mit roten Flecken verschmiert und von seinem Horn tropfte hellrotes Blut. Der Ausdruck in seinen Augen war die pure Mordlust.
Und die galt eindeutig *ihm*.
Lancelot machte einen Schritt zurück. Der Seegrund unter seinen Füßen war schlüpfrig und er musste aufpassen, dass er nicht das Gleichgewicht verlor.
Das Einhorn kam langsam auf ihn zu. Das Lodern in seinen Augen erlosch nicht und Lancelot begriff, dass er von diesem Wesen keine Gnade zu erwarten hatte. Er gehörte nicht hierher. Wenn er ans Ufer zurückging, würden ihn diese Geschöpfe ebenso gnadenlos töten, wie sie es mit den schwarzen Einhörnern getan hatten.
Und vielleicht nicht nur dann ...
Das Tier trat einen weiteren Schritt ins Wasser hinein. Das zornige Funkeln in seinen Augen ließ nicht nach und es zog die Lefzen zurück wie ein wütender Hund, der drohend die Zähne fletschte.
Lancelot wich einen weiteren Schritt vor dem Tier zurück und rutschte auf dem glitschigen Seeboden aus. Hastig versuchte er sein Gleichgewicht wieder zu finden und es

wäre ihm wahrscheinlich auch gelungen, hätte er dazu nicht einen weiteren Schritt nach hinten tun müssen.
Dort, wo er schlammigen Boden erwartete, war –
nichts mehr.
Sein Fuß stieß ins Leere. Hinter ihm gähnte ein Abgrund, in dem es keinen Halt gab. Lancelot kippte nach hinten, ruderte verzweifelt mit den Armen, um seinen Sturz vielleicht doch noch irgendwie aufzufangen, schaffte es aber nicht. Er fiel rücklings ins Wasser und das Gewicht seiner Rüstung zerrte ihn wie einen Stein in die Tiefe.

Und damit endete der Albtraum. Lancelot wälzte sich mit einem Schrei herum, stemmte sich auf die ausgestreckten Arme hoch und würgte qualvoll und keuchend, fest davon überzeugt, schlammiges Wasser und Morast zu erbrechen. Alles, was aus seinem geöffneten Helmvisier tropfte, war ein wenig Spucke. Er zitterte am ganzen Leib. Der Boden, auf dem er sich abstützte, war trockener, mit Tannennadeln bedeckter Waldboden, nicht der saugende Morast auf dem Grund des Sees. Es war weit und breit kein Wasser zu sehen.
Dafür lag er halb in einem stacheligen Gebüsch, dessen Dornen es irgendwie geschafft hatten, durch die schmalen Spalten und Ritzen seiner Rüstung zu dringen und ihn an den unmöglichsten Stellen zu pieken.
Verwirrt stemmte er sich weiter hoch, bis er sich in eine kniende Position erheben konnte, und sah sich um. Aus dem See, in dem er gerade noch zu ertrinken gedroht hatte, war ein Wald geworden und es war ein ganz normaler Wald mit ganz normalen Bäumen, zwischen denen Unterholz und Gestrüpp wucherte. Keine toten Einhörner la-

gen auf dem Boden und es gab auch keine lebendigen Einhörner, die ihn aufzuspießen oder zu Tode zu trampeln versuchten. Und schon gar keine Männer mit spitzen Ohren, die schwarze Rüstungen trugen und auf gehörnten Ungeheuern ritten. Er befand sich nicht mehr in der Kristallhöhle unter den Ruinen Malagons, aber auch nicht mehr im Elfenbeinwald und vermutlich nicht einmal mehr auf Avalon.

Nein. Lancelot verbesserte sich in Gedanken. Nicht *nicht mehr*. Er war niemals dort gewesen, ganz einfach, weil es dieses *Dort* nicht gab. Avalon und die Tir Nan Og waren ebenso eine Legende, wie es Elben nur in Mythen und Märchen gab. Er hatte weder eine Ahnung, wo er war, noch wie er hierher gekommen war. Ein Blick in den Himmel zeigte ihm, dass es früher Vormittag war. Die Sonne konnte gerade erst aufgegangen sein und dies hier waren ganz bestimmt nicht die düsteren, sumpfigen Wälder, in denen Malagon lag. Es gehörte nicht sonderlich viel Fantasie dazu, sich vorzustellen, was geschehen war. Morgaines magisches Feuer hatte ihn betäubt. Irgendwie hatte er es überlebt und irgendwie war er auch aus Malagon herausgekommen und vermutlich war er den ganzen Tag und die darauf folgende Nacht ziellos herumgeirrt, bis er schließlich hier zusammengebrochen und in diesen absurden Albtraum gefallen war.

Auch diese Theorie stand auf ziemlich wackeligen Füßen, aber sie war immer noch tausendmal besser als der Gedanke, dass er wirklich in diesem unheimlichen Land der Fabelwesen und Elben gewesen war.

Er stand ganz auf und bekam den Beweis, dass alles nur ein Traum gewesen war. Der Dunkelelb, der ihn entwaffnet hatte, hatte ihm auch den Schild weggenommen, aber nun trug er ihn wieder auf dem Rücken und in seinem Gürtel steckte auch wieder das Schwert, das man ihm ebenfalls abgenommen hatte.

Lancelot drehte sich einmal um seine Achse und stieß einen leisen Pfiff durch die Zähne aus. Nur ein Moment verging, da wurde hinter ihm Hufschlag laut, und das Einhorn trat zwischen den Bäumen hervor. So erleichtert Lancelot auch war, das Tier in diesem Moment zu sehen, zögerte er doch einen Augenblick, sich ihm zu nähern. Er sah das Einhorn nun mit anderen Augen. Illusion oder nicht, ihm war jetzt endgültig klar, dass dieses Tier kein sanftmütiges Fabelwesen war, sondern ein gefährliches Raubtier.

Er verscheuchte auch diesen Gedanken, schwang sich mit einer kraftvollen Bewegung in den Sattel und lenkte das Einhorn in die Richtung, die er für Süden hielt. Ganz sicher war er nicht, denn in einem Punkt hätte er sich den Elfenbeinwald aus seinem Traum beinahe zurückgewünscht: Dieser reale Wald war so dicht, dass er kaum von der Stelle kam, und das Blätterdach über seinem Kopf war wie eine Decke, dass er die Sonne mehr erahnte als sie sah, und sich nicht an ihrer Position orientieren konnte. Mehr als einmal drohten sie im dichten Unterholz stecken zu bleiben und kamen nur weiter, weil sich das Einhorn mit brutaler Kraft einen Weg durch das Gestrüpp brach.

Aber der Weg war nicht sehr weit. Auch wenn es ihm so vorkam, als wären es Stunden gewesen, bewegten sie sich in Wahrheit doch kaum länger als zehn Minuten durch den Wald, bis es vor ihnen wieder hell wurde. Wenige Augenblicke später tat das Einhorn einen letzten Schritt zwi-

schen den Bäumen hervor und Lancelot brachte es mit einem überraschten Ruck zum Stehen.
Vor ihm lag ein schmaler Weg, auf dessen gegenüberliegender Seite kein Wald mehr war, sondern das von mannshohem Schilf beherrschte Ufer eines kleinen Sees.
Und das Unheimlichste war, dass er diesen See kannte.
Lancelot erkannte ihn sofort und ohne den allerkleinsten Zweifel wieder. Es war genau die Stelle, an der er Morgaine le Faye zum ersten Mal gesehen hatte. Der See, in dem er die Rüstung gefunden hatte.
Lancelot blieb endlos lange im Sattel des Einhorns sitzen und starrte das ruhig daliegende Wasser an. Er war erschüttert, denn wenn er eines nicht glaubte, dann das, dass er zufällig hierher gekommen war. Vielleicht war er tatsächlich einen ganzen Tag und eine ganze Nacht durch die Wälder geirrt, aber alles andere als ziellos. Irgendetwas in ihm – vielleicht Dulac, der irgendwo tief in ihm noch immer existieren mochte – hatte ihn ganz gezielt hierher geführt.
Und er glaubte zu wissen, warum.
Nach einer Weile schwang er sich aus dem Sattel und ging mit langsamen Schritten zum Ufer. Plötzlich ergab alles einen Sinn, selbst der See, in dem er in seinem Traum zu ertrinken geglaubt hatte.
Während er so dastand und den See anstarrte, ohne ihn indes wirklich zu sehen, wurde ihm noch einmal klar, was in den letzten Tagen und Wochen alles geschehen war. Was er getan hatte.
Er hatte Menschen getötet. Er hatte jeden enttäuscht und verletzt, der ihm jemals etwas bedeutet hatte, und er hatte die beiden einzigen Menschen verloren, die er jemals ge-

liebt hatte. Vor wenigen Stunden war er sogar bereit gewesen, einen kaltblütigen Mord zu begehen.
Und alles hatte mit dieser Rüstung angefangen. Was er für ein Geschenk gehalten hatte, war zu einem Fluch geworden, der sein Leben innerhalb weniger Tage in einen Trümmerhaufen verwandelt hatte. Wenn er sie auch nur einen einzigen Tag länger behielt, dann würde er vielleicht nicht einmal mehr die Kraft haben, sie abzulegen.
Er wusste jetzt, warum Dulac ihn ausgerechnet hierher geführt hatte. Dies war der Ort, an dem er die Rüstung gefunden hatte, und hier würde er sie auch wieder ablegen. Mochte sie weiter hundert oder vielleicht auch tausend Jahre im Wasser liegen, bis sie ein anderer fand. Vielleicht würde sie ja nicht für jeden zum Fluch werden.
Er setzte den Helm ab, hielt ihn noch ein letztes Mal zögernd in den Händen und warf ihn schließlich in hohem Bogen von sich. Er versank mit einem gewaltigen Platschen im Wasser und war noch für einen Moment zu sehen, um dann endgültig zu verschwinden.
Etwas in Lancelot schien sich zu krümmen wie ein getretener Wurm. Das Gefühl des Verlustes war so stark, dass er an einen körperlichen Schmerz grenzte. Es dauerte Minuten, bis er die Kraft fand, weiterzumachen und den linken Handschuh auszuziehen, und noch einmal Minuten, bis der rechte folgte.
Lancelot brauchte fast eine halbe Stunde, um sich der kompletten Rüstung zu entledigen. Anschließend watete er in den See, bis ihm das Wasser bis zu den Hüften reichte, und versenkte die Rüstung darin. Nackt und zitternd stand er im kalten Wasser, aber er fühlte sich unendlich erleichtert. Die Rüstung war fort und mit ihr war

Lancelot verschwunden. Der zitternde nackte Junge, der zwei Meter entfernt vom Ufer im eisigen Wasser stand, war wieder Dulac. Er war unendlich, unendlich erleichtert.

»Du wirst dich fürchterlich erkälten, wenn du noch lange so im eiskalten Wasser herumstehst.«

Dulac fuhr so erschrocken zusammen, dass das Wasser rings um ihn herum kleine Wellen schlug, und wirbelte herum.

Was er sah, hätte ihm um ein Haar einen Schrei entlockt. Das Einhorn war spurlos verschwunden. An seiner Stelle stand ein anderes, ebenfalls weißes Pferd, das fast so groß war wie das Einhorn, aber viel zartgliedriger. In seinem Sattel saß eine schlanke, in strahlendes Weiß gekleidete Gestalt, die mit einem spöttischen Lächeln auf ihn herabsah.

»Lady ... Gwin...neth«, stammelte er. »Aber das ... ich meine, wie ...?«

»Du erinnerst dich also immerhin noch an meinen Namen«, sagte Gwinneth spöttisch. »Nach so langer Zeit. Ich fühle mich geschmeichelt.«

Dulac sah sich fast verzweifelt nach einem Fluchtweg um. Es gab keinen. Er konnte sich weiter in das mannshohe Schilf zurückziehen, aber das war auch alles.

»Wirklich, du solltest aus dem Wasser kommen«, sagte Gwinneth spöttisch. »Es ist viel zu kalt, um zu baden.«

Damit hatte er das nächste Problem. »Dann ... dann wärt Ihr vielleicht so freundlich, mir meine Kleidungsstücke zu geben, Mylady?«, fragte er. »Sie liegen dort am Ufer.«

Gwinneth sah sich von der Höhe des Pferderückens aus in alle Richtungen um und hob dann die Schultern. »Hier liegen keine Kleidungsstücke.«

»Seid Ihr sicher?«
»Ganz sicher«, antwortete Gwinneth. »Dann müssen sie wohl gestohlen worden sein«, setzte sie fort. »Die Welt ist schlecht. Überall treiben sich Diebe und Räuber herum. Aber vielleicht hat sie ja auch ein plötzlicher Windstoß davongeweht, was meinst du? Obwohl es eigentlich sehr windstill ist.«
Dulac biss sich auf die Unterlippe. Gwinneths Stimme war der pure Hohn. Wie lange stand sie schon da und beobachtete ihn?
»Auf jeden Fall haben wir ein Problem. Ich meine: Du kannst schließlich nicht ewig da im Wasser stehen und frieren, nicht wahr?«
»Aber ich kann auch nicht hinaus«, antwortete Dulac. »Meine Sachen sind weg.«
»Hmm ...«, machte Gwinneth. »Was machen wir denn da?«
»Ich könnte noch eine Weile frieren«, schlug Dulac vor.
»Ja, das könntest du«, antwortete Gwinneth ernsthaft. »Du könntest aber auch meinen Mantel nehmen.« Sie löste die goldene Fibel, die den weißen Umhang auf ihrer Schulter hielt, und ließ das Kleidungsstück mit einer eleganten Bewegung auf ihren ausgestreckten rechten Arm gleiten.
»Euren Mantel?« Plötzlich wünschte sich Dulac fast, wieder Lancelot zu sein. Er wusste einfach nicht, was er sagen und wie er sich verhalten sollte. In seiner Gestalt als Silberner Ritter wäre ihm das gewiss nicht passiert.
»Worauf wartest du?«, fragte Gwinneth. Sie hielt den ausgestreckten Arm mit ihrem Mantel in seine Richtung, machte aber nicht den Versuch, näher zu kommen. »Du kannst ihn ruhig nehmen. Er ist sauber.«

Nichts hätte Dulac lieber getan. Er fror mittlerweile erbärmlich. Aber dazu hätte er aus dem Wasser kommen müssen, und nachdem er die Rüstung und das dazugehörige Unterkleid abgelegt hatte, trug er keinen Faden mehr am Leib.

»Das ist es nicht, Mylady«, sagte er verlegen.

»Nein?«, wunderte sich Gwinneth. »Was dann? Er müsste dir passen. Wir haben ungefähr die gleiche Größe.«

In ihren Augen blitzte der Schalk und es war Dulac unmöglich, ihr böse zu sein. Ganz im Gegenteil hatte er plötzlich alle Mühe, nicht vor Lachen laut herauszuplatzen – was allerdings nichts daran änderte, dass er sich in einer nicht nur peinlichen, sondern auch von Moment zu Moment unangenehmer werdenden Situation befand. Er schlotterte mittlerweile vor Kälte und er konnte spüren, dass sich seine Lippen allmählich blau zu färben begannen. Das Wasser war eisig.

Endlich zeigte auch Gwinneth ein Einsehen mit ihm, denn sie beugte sich im Sattel vor und hängte den Mantel über ein Gebüsch, das dicht am Ufer wuchs. Dann zwang sie ihr Pferd mit einer geübten Bewegung herum und verschwand hinter derselben Wegbiegung, hinter der auch Mordred und Morgaine le Faye damals verschwunden waren.

Dulac warf noch einen sichernden Blick nach rechts und links, dann watete er hastig aus dem Wasser, pflückte den Umhang von den Zweigen und wickelte sich hinein. Seine Finger waren so steif vor Kälte, dass er alle Mühe damit hatte und ihm das Kleidungsstück fast entglitten wäre – was ihn wahrscheinlich in eine peinliche Situation gebracht hätte, denn Gwinneth tauchte nach wenigen Augenblicken schon wieder hinter der Wegbiegung auf. Sie grinste noch immer über das ganze Gesicht und Dulac nahm an, dass er einen ziemlich lächerlichen Anblick bot, wie er so am Seeufer stand, barfuß, in ihren Mantel eingewickelt und vor Kälte mit den Zähnen klappernd.

Im Moment war ihm dies aber herzlich egal. Er wickelte sich enger in den Mantel, der zwar aus recht dünnem Stoff bestand, aber herrlich weich und sehr warm war. Außerdem roch er nach Gwinneths Haar. Als sie näher kam, wich er ein kleines Stück von ihr zurück, wurde aber von dem dichten Gebüsch am Waldrand rasch gestoppt; während Gwinneth ihr Pferd weiter heranlenkte und erst einen knappen Meter vor ihm aus dem Sattel glitt.

Sie stand eine Weile einfach da und sah ihn an, als böte er nun, nicht mehr von der Höhe des Pferderückens aus betrachtet, einen anderen Anblick, dass sie sich erst daran gewöhnen musste, dann sagte sie:

»Ich hatte die Hoffnung schon beinahe aufgegeben, dich wieder zu sehen.«

Das Wort Hoffnung klang gut in Dulacs Ohren. Aber er gestattete sich nicht, irgendetwas hineinzudeuten, was möglicherweise nicht darin war. Er hatte in der letzten Zeit einfach zu viele Enttäuschungen erlebt, um noch mehr davon aushalten zu können. Er sagte gar nichts, sondern lächelte nur schüchtern.

»Artus war der Meinung, du würdest nie wieder kommen«, sagte Gwinneth.

»Er muss ziemlich zornig auf mich sein«, vermutete Dulac.

»Zornig?« Gwinneth schüttelte den Kopf. »Nein. Enttäuscht. Er war sehr enttäuscht, weißt du? Er wollte alles für dich tun, was er konnte, und dann bist du einfach weggelaufen.«

»Ich bin nicht weggelaufen«, antwortete Dulac impulsiv. »Ich meine, ich ... ich bin nicht –«

»– aus Feigheit weggerannt.« Gwinneth fiel ihm kopfschüttelnd ins Wort. »Das glaube ich auch nicht. Ebenso wenig wie Artus, wenn du mich fragst. Vielleicht hält er dich für undankbar, aber gewiss nicht für feige.« Sie hob die Schultern. »Wo bist du die ganze Zeit gewesen?«

»Hier und da«, antwortete Dulac ausweichend. »Überall.«

»Außer in Camelot«, fügte Gwinneth hinzu.

Dulac beließ es zur Antwort bei der Andeutung eines Nickens. Das Verhör, dem ihn Gwinneth unterzog, begann ihm mit jedem Augenblick unangenehmer zu werden. Andererseits – was hatte er erwartet?

Wieder verging eine ganze Weile, in der sie einander nur schweigend ansahen, und obwohl das Lächeln auf Gwinneths Zügen vollkommen unverändert blieb, glaubte er doch immer deutlicher zu spüren, dass ihr die Situation genau so unangenehm war wie ihm. Er war nicht der Einzige, der sich ... befangen fühlte.

»Du könntest zurück, weißt du das?«, fragte Gwinneth plötzlich.

Zurück? Wohin?

Obwohl er die Frage nicht laut ausgesprochen hatte, schien Gwinneth sie in seinen Augen gelesen zu haben, denn sie beantwortete sie. »Nach Camelot. Artus hätte sicher nichts dagegen.« Sie verbesserte sich: »Artus *hat* nichts dagegen.«

»Woher wollt Ihr das wissen?«, fragte Dulac misstrauisch.

»Weil er es mir gesagt hat«, antwortete Gwinneth. Sie

schien auf eine ganz bestimmte Reaktion seinerseits zu warten. Als diese nicht kam, hob sie mit einem Ausdruck leiser Enttäuschung die Schultern und wandte sich um. Dulac befürchtete schon, dass sie einfach zu ihrem Pferd gehen und davonreiten würde, aber sie machte nur ein paar Schritte und setzte sich dann mit angezogenen Knien auf das Moos am Waldrand. Ohne darüber nachzudenken folgte Dulac ihr und setzte sich neben sie; nicht so nahe, wie er es gerne getan hätte, aber eindeutig näher, als sich geziemte.

Erneut war es, als hätte sie seine Gedanken gelesen, denn sie sagte: »Mach dir keine Sorgen. Niemand wird uns so zusammen sehen. Ich bin allein.«

»Hier draußen?« Dulac sah sich um. »Ist das nicht zu gefährlich?«

»Jetzt hörst du dich an wie Artus«, sagte Gwinneth. »Aber keine Angst. Mir kann nichts geschehen. Ich bin in einer Gegend wie dieser aufgewachsen, weißt du? Alle Barbaren der Welt würden mich in diesen Wäldern nicht fangen.«

So selbstverständlich, wie sie das sagte, klangen ihre Worte vollkommen überzeugend. Und plötzlich rutschte sie ein kleines Stück auf ihn zu und legte den Kopf auf seine Schulter. Dulac erstarrte innerlich schier zu Eis.

»Ich komme oft hierher«, sagte sie. »Fast jeden Tag, wenn es mir gelingt, mich aus der Stadt zu schleichen, heißt das.«

»Warum?« Dulac hob ganz vorsichtig die Hand, wartete darauf, dass sich der Boden auftat um ihn zu verschlingen, und legte ihr schließlich den Arm um die Schulter. Auch jetzt fiel ihm nicht der Himmel auf den Kopf, aber Gwinneth schmiegte sich noch etwas fester an ihn. Dulacs Herz begann zu rasen.

»Es ist sehr schön hier«, antwortete sie, wenn auch erst nach einer geraumen Weile. »Dieser Platz erinnert mich an meine Heimat. Ich wurde an einem See wie diesem gefunden, weißt du?«

»Gefunden?« Dulac war so überrascht, dass er um ein Haar die Hand von ihrer Schulter genommen hätte.

»Ja«, bestätigte Gwinneth. »Meine Eltern sind ... waren nicht meine wirklichen Eltern, musst du wissen. Sie haben mich nur an Kindes statt angenommen, weil sie selbst keine Kinder hatten. Sie haben es mir nie gesagt, aber nach ihrem Tod hat Uther mir erzählt, dass ich als Säugling am Ufer eines Sees gefunden wurde.« Sie machte eine Kopfbewegung auf das still daliegende Wasser hin und lachte leise. »Es könnte sogar dieser See hier gewesen sein.«

»Dieser ... See?«, murmelte Dulac stockend. Er war völlig fassungslos.

Gwinneth lachte abermals. »Ich weiß, was du sagen willst. Dieser Zufall wäre wohl gar zu groß. Aber es war ein See wie dieser. Manchmal, wenn ich so am Ufer sitze, dann ... spüre ich es fast.«

»Du wurdest ... an einem See gefunden?«, vergewisserte sich Dulac. Seine Stimme zitterte so sehr, dass sie den Kopf von seiner Schulter hob und ihn einen Moment lang irritiert ansah, bevor sie nickte.

»Niemand weiß, wer meine leiblichen Eltern sind«, bestätigte sie. »Vielleicht waren sie zu arm um ein Kind zu ernähren. Vielleicht sind sie auch zu Tode gekommen.« Sie machte eine vage Handbewegung. »Wozu über etwas reden, was nicht nur vor langer Zeit geschehen ist und sich ohnehin nicht rückgängig machen lässt. Mein Vater wollte wohl nicht, dass ich es erfahre, aber Uther war der Meinung, dass ich das Recht hätte, es zu wissen.«

Dulac sagte immer noch nichts. Er starrte sie einfach nur an. Er merkte nicht einmal, dass seine Hände zu zittern begonnen hatten.

»Du siehst aus, als hättest du gerade ein Gespenst gesehen«, sagte Gwinneth, zwar lachend, aber auch in leicht verunsichertem Ton. »Bist du jetzt enttäuscht, weil ich nicht von Geburt an blaublütig bin?«

»Nein, das ... das ist es nicht«, stammelte Dulac. Es ist nur ...«

Dass du mir gerade meine eigene Geschichte erzählt hast und das beinahe wortwörtlich. Aber das sprach er nicht aus. Wie konnte er es? Und selbst wenn, wie hätte sie ihm *glauben* können?

»Es klingt ein bisschen wie ein Märchen, ich weiß«, sagte Gwinneth, als er nicht weitersprach. »Ich erzähle die Geschichte normalerweise auch niemandem. Nur Uther hat sie gekannt und jetzt Artus – und du. Aber du musst mir dein Wort geben, sie niemandem zu sagen.«

Statt zu tun, was sie von ihm erwartete, und ihr sein Wort zu geben, fragte er: »Artus?«

»Wir werden bald Mann und Frau sein«, erinnerte Gwinneth. »Wir haben keine Geheimnisse voreinander. Und ich habe auch mit Artus über dich gesprochen.«

»Über ... *mich*?«

»Du brauchst wirklich keine Angst zu haben«, versicherte Gwinneth. »Artus würde es niemals laut zugeben, aber er hat mir verraten, dass er wohl ein wenig eifersüchtig auf dich war.«

»Eifersüchtig?«
»Er ist ein Mann«, antwortete Gwinneth, als wäre das allein Erklärung genug. »Aber nachdem du verschwunden warst, hat er sich große Vorwürfe gemacht. Er hat mir versprochen, dass du auf Camelot bleiben darfst, wenn du willst.«
Es war Dulac bisher schwer gefallen, ihren Worten auch nur zu folgen. Seine Gedanken kreisten noch immer um die schier unglaubliche Eröffnung, die sie ihm gemacht hatte. Jetzt aber riss er die Augen auf. Immerhin hatte Artus nichts unversucht gelassen, um ihn an einen Ort zu bringen, der möglichst weit weg von Camelot war. Und vor allem von Gwinneth.
»Es ist wahr«, bestätigte Gwinneth. »Was er getan hat, tut ihm Leid. Er bedauert es sehr – schon weil er Dagda versprochen hat, sich um dich zu kümmern. Ich bin sicher, dass er sich freuen würde, wenn du zurückkommst.« Plötzlich grinste sie. »Schon weil dein Nachfolger in der Küche ein heilloses Durcheinander angerichtet hat.«
»Tander?«
»Ja. Er hat alles gestohlen, was sich stehlen lässt, und zwei von drei Goldstücken, die Artus ihm gibt, um auf dem Markt einzukaufen, wandern in seine Tasche.«
»Mehr nicht?« Dulac war kein bisschen überrascht. »Ich hätte gedacht, dass es neun von zehn sind.«
»Wären es wahrscheinlich auch, wenn Tander bis neun zählen könnte«, antwortete Gwinneth im gleichen ernsthaften Tonfall.
»Warum wirft Artus ihn nicht einfach raus oder lässt ihn einen Monat im Keller schmoren?« Dulac wusste die Antwort auf seine Frage, bevor Gwinneth sie aussprach.

»Weil Artus nun einmal Artus ist«, sagte sie. »Er sagt, der Moment würde schon kommen, Tanders Schulden einzutreiben.«

»Ja«, seufzte Dulac. »Das klingt ganz nach Artus.«

Gwinneth lächelte, aber dann wurde sie wieder ernst. Sie rückte ein Stück weit von ihm fort, sah ihm einen Moment lang tief in die Augen und sagte dann:

»Komm mit zurück nach Camelot, Dulac.«

»Warum?«, fragte Dulac. »Weil Artus mich braucht? Er wird auch ohne meine Hilfe mit Tander fertig.«

»Weil *ich* dich brauche.«

»Ihr?« Dulacs Herz jubilierte. Er hatte sich nicht einmal zu wünschen gewagt, diese Worte aus ihrem Mund zu hören. Und nun hatte sie sie ausgesprochen.

»Ich brauche einen Freund, Dulac«, antwortete Gwinneth. »Es ist einsam auf Camelot.«

»Aber … aber Ihr habt selbst gesagt –«

»Ich weiß, was ich gesagt habe«, unterbrach ihn Gwinneth. In ihrer Stimme und ihrem Blick waren ein Ernst, der ihn frösteln ließ. »Und ich habe es so gemeint, damals wie heute.« Sie zögerte einen Moment. »Glaubst du, dass du ... das kannst? Nur mein Freund sein?«

»Das würde Artus niemals erlauben«, sagte er, aber Gwinneth schüttelte sofort den Kopf.

»Er wird es, wenn ich ihn darum bitte«, sagte sie.

»Seid Ihr da so sicher?«

»Das bin ich«, bestätigte Gwinneth. »Ich habe geschworen, dass es in meinem Herzen keinen Platz für einen anderen Menschen geben wird, und ich werde diesen Schwur halten. Artus weiß das.« Sie sah ihn auffordernd an. »Kommst du mit zurück?«

Dulac antwortete nicht gleich, sondern blickte auf den See hinaus. Vielleicht, dachte er, gibt es doch so etwas wie eine Macht des Schicksals – aber wenn, dann besaß sie einen wirklich sonderbaren Sinn für Humor. Genau an diesem Platz hatte er alles gefunden, wovon er jemals geträumt hatte. Aus diesem Traum war ein Albtraum geworden und nun, wo er sich genau an diesem Platz wieder von der Rüstung und dem magischen Schwert getrennt hatte, schien es, als würde ihm sein altes Leben zurückgegeben. Vielleicht steckte ja tatsächlich irgendein Sinn dahinter, aber wenn, dann konnte er ihn nicht erkennen.

»Nun?«, fragte Gwinneth. »Was willst du? Dich weiter in den Wäldern herumtreiben und von Pilzen und Wurzeln leben oder mit mir nach Camelot kommen? Du wirst dir schlimmstenfalls eine Standpauke von Artus anhören müssen, die nicht einmal ernst gemeint ist.«

Dulac überlegte lange – obwohl es im Grunde nichts zu überlegen gab. Das Leben in den Wäldern, von dem sie sprach, hatte er zwar nicht geführt, aber er würde es führen, sobald sie auf ihr Pferd stieg und davonritt. Es gab keinen Platz, an den er gehörte, keinen Ort, wohin er gehen konnte, buchstäblich niemanden, den er kannte – und schon gar niemanden, der ihm helfen würde. Der bevorstehende Krieg warf bereits seine Schatten über das Land und abgesehen davon, dass er einen Fußboden schrubben und Wein servieren konnte, verfügte er über keinerlei besondere Fähigkeiten. Er würde nicht lange in den Wäldern leben und sich von Wurzeln und Beeren ernähren, sondern spätestens im nächsten Winter erfrieren, wenn er nicht zuvor verhungert oder auf irgendeine andere Weise zu Tode gekommen war.

Und wenn er mit nach Camelot ging, konnte er wenigstens in Gwinneths Nähe bleiben.
Statt irgendetwas davon laut auszusprechen deutete er mit einer Kopfbewegung an sich herab und fragte mit einem verlegenen Grinsen: »Und Ihr glaubt wirklich, Artus hätte nichts dagegen, wenn ich zusammen mit Euch zurückkomme ... nackt und mit Eurem Mantel bekleidet?«
Gwinneth begann schallend zu lachen, und wie sich zeigte, waren die Kleider auch tatsächlich kein Problem, so wenig wie der Rückweg nach Camelot. Gwinneth hatte nicht ganz die Wahrheit gesagt, als sie behauptet hatte, allein gekommen zu sein. Sie schwang sich auf ihr Pferd und ritt ohne irgendeine Erklärung davon, kam aber schon nach wenigen Minuten wieder und sie führte nicht nur ein zweites gesatteltes Pferd am Zügel hinter sich her, sondern warf ihm auch – noch immer ohne etwas zu sagen – ein eng zusammengeschnürtes Bündel zu, das ein Paar aus feinstem Leder gefertigter Stiefel, eine Hose aus robustem Stoff und eine weiße Bluse enthielt. Seine Frage, woher die Kleider stammten, ignorierte sie ebenso hartnäckig wie seine auffordernden Blicke, wegzusehen oder sich wenigstens herumzudrehen, während er sich anzog, sodass er dazu gezwungen war, sich umständlich anzukleiden, ohne dabei den weißen Mantel abzulegen, der mittlerweile nass war und wie eine faltige zweite Haut an seinem Körper klebte.
Gwinneth sah seinen Verrenkungen mit unverhohlener Schadenfreude zu. Kaum dass er fertig war und den nassen Mantel abstreifte, ritt sie ein Stück näher und machte eine auffordernde Kopfbewegung auf das reiterlose Pferd neben sich. »Schaffst du es allein in den Sattel oder soll ich

ein paar Zweige abschneiden und dir eine Leiter bauen?«, fragte sie spöttisch.

Dulac schluckte die spitze Bemerkung hinunter, die ihm auf der Zunge lag, und deutete stattdessen auf das Pferd. »Woher kommt dieses Pferd?«, fragte er misstrauisch.

»Aus König Artus' Stall«, antwortete Gwinneth. »Und nun beeil dich. Meine Zofe wird allmählich ungeduldig. Und ich fürchte, meine Leibwache auch.«

»Leibwache?!« Dulac sah sich erschrocken um. »Wieso Leibwache? Und was für eine Zofe?«

»Natürlich eine Leibwache.« Gwinneth verdrehte die Augen. »Ich bin die zukünftige Königin von Camelot.«

Dulac begann den triefnassen Mantel auszuwringen. »Und woher kommen diese Kleider?«, erkundigte er sich.

»Es sind meine«, antwortete Gwinneth. Auf seine unausgesprochene, aber deutlich in seinen Augen zu lesende Frage hin zuckte sie im ersten Moment nur die Schultern, antwortete aber dann doch: »Manchmal ... reite ich gerne abseits des Weges. Oder auch schon einmal ein bisschen schneller. Kleider wie diese sind einfach praktischer für solche Zwecke.«

Das mochte sein, aber Dulac blickte trotzdem mit plötzlich gemischten Gefühlen an sich herab. Etwas an den Kleidern, die er nun trug, war ihm von Anfang an seltsam vorgekommen und nun wusste er auch, was. Es waren sehr schöne Kleider und von besserer Qualität, als er sie jemals besessen hatte. Aber das änderte nichts daran, dass es Frauenkleider waren ...

»Was wird Artus sagen, wenn ich in Euren Kleidern zurückkomme?«, fragte er.

Gwinneth hob die Schultern. »Ich glaube nicht, dass er es

überhaupt bemerkt. Artus hat im Moment wahrlich zu viel zu tun, um auf meine Kleider zu achten. Und selbst wenn – was glaubst du, würde er sagen, wenn du stattdessen nichts anhättest?«

Darüber dachte Dulac lieber nicht nach. Nach einem letzten Zögern schwang er sich in den Sattel. Er glaubte noch immer nicht, dass seine Rückkehr nach Camelot so leicht und reibungslos vonstatten gehen würde, wie Gwinneth es sich vorstellte.

Aber er hatte immerhin eine Chance, vielleicht doch noch so etwas wie eine Heimat zu finden. Mit Gwinneth auf seiner Seite hatte er das Schlimmste beinahe schon hinter sich.

Jedenfalls glaubte er das in diesem Moment.

Er hatte Camelot ja noch nicht gesehen.

Gwinneth war tatsächlich mit nicht nur gleich zwei Zofen gekommen, sondern auch in Begleitung von vier Kriegern, die ihre Leibwache darstellten. Ihr Anblick sollte Dulac eigentlich beruhigen, aber er bewirkte eher das Gegenteil. Früher hatte niemand einen Leibwächter nötig gehabt, wenn er Camelot verlassen wollte.

Sie ritten so schnell, dass die beiden Zofen ihre liebe Mühe hatten, nicht zu weit zurückzufallen, brauchten aber dennoch mehr als eine Stunde, bevor Camelot in Sichtweite kam. Und als es geschah, da erfüllte der Anblick Dulac mit solchem Entsetzen, dass er sein Pferd mit einem heftigen Ruck am Zügel zum Stehen brachte.

Die Silhouette der Stadt hatte sich verändert. Der große Turm der Burg wirkte wie angenagt und war um ein gutes Drittel kürzer geworden. Ein Teil der äußeren Stadtmauer

sah aus, als hätte ein Riese mit einem Hammer darauf herumgeschlagen, und auch etliche Häuser der Stadt waren beschädigt; einige schienen ganz zertrümmert zu sein.
Er hatte sein Pferd mit einem so heftigen Ruck angehalten, dass Gwinneth ein Stück vorausgeritten war, ehe sie merkte, dass Dulac nicht mehr an ihrer Seite war. Jetzt ritt sie in einem engen Bogen zurück und lenkte ihr Tier wieder an Dulacs Seite.
»Was ist los mit dir?«, fragte sie.
Dulac hob den Arm und deutete mit einer zitternden Hand auf Camelot. Er hatte Mühe, überhaupt zu sprechen. »Was ... was ist denn hier ... passiert?«, presste er hervor.
»Das Erdbeben.« Zwischen Gwinneths Brauen erschien eine steile Falte.
»Erdbeben? Aber ... aber was denn für ein ... ein Erdbeben?«, murmelte Dulac hilflos.
»Das große Erdbeben, vor vier Wochen«, sagte Gwinneth.
Vor vier Wochen? Dulac starrte sie nun eindeutig entsetzt an. Er schwieg.
»Du hast nichts davon gewusst?« Gwinneth wirkte regelrecht bestürzt. »Du musst ziemlich weit weg gewesen sein, wenn du wirklich nichts davon gehört hast.«
Weit weg?, dachte Dulac. O ja, er war wirklich weit weg gewesen. Weiter, als sie sich vermutlich auch nur vorstellen konnte.
Gwinneth machte eine entsprechende Kopfbewegung. »Komm weiter. Aber mach dich auf einen Schrecken gefasst, wenn du es wirklich nicht gewusst hast. Es sieht ziemlich schlimm aus.«
Und das war keineswegs über-, sondern allerhöchstens un-

tertrieben. Je näher sie Camelot kamen, desto mehr Spuren gewaltiger Zerstörungen sah er. Die Stadtmauer war an keiner Stelle vollkommen zusammengestürzt, aber an etlichen fast bis auf die Hälfte niedergebrochen. Ein ganzer Abschnitt der überdachten Wehrgänge war einfach nicht mehr da und auch das Tor, durch das sie ritten, hing ein wenig schief in den Angeln. Kaum ein Haus, das unversehrt geblieben wäre. Zahlreiche Dachstühle waren eingesunken oder ganz zusammengestürzt. Gewaltige Risse zogen sich durch die Mauern der Häuser und etliche waren mit großen Balken abgestützt, um sie vor dem Zusammenbrechen zu bewahren. Aber sie kamen auch an Gebäuden vorbei, die nur noch aus mannshohen Trümmer- und Steinhaufen bestanden. Nach den Zerstörungen, die die Pikten angerichtet hatten, war Camelot zum zweiten Mal verwüstet worden und diesmal ungleich schlimmer.
Dulacs Bestürzung wuchs, je mehr sie sich der Burg näherten, denn *dort* waren die Zerstörungen noch viel deutlicher zu sehen. Ein Teil der Mauer war niedergebrochen. Dutzende von Handwerkern bewegten sich auf hastig errichteten Gerüsten oder krochen emsig wie Ameisen über die Trümmer, um die Schäden so gut es ging zu beseitigen, was ihnen aber vermutlich niemals ganz gelingen würde. Das Dach des Palas war fort und durch ein Gerippe aus frisch geschlagenen Balken ersetzt worden und das obere Drittel des Turmes existierte einfach nicht mehr. Dulac versuchte sich vorzustellen, wie es gewesen sein musste, als der Turm zusammenbrach, aber seine Fantasie kapitulierte vor dieser Aufgabe. Es musste buchstäblich Steine geregnet haben.
»Wie viele ...«, murmelte er, schluckte den bitteren Kloß

hinunter, der plötzlich in seiner Kehle saß, und begann noch einmal: »Wie viele Menschen sind ums Leben gekommen?«
Gwinneth deutete ein Kopfschütteln an. »Keine.«
»Niemand?«, vergewisserte sich Dulac ungläubig.
»Es ist ein Wunder, ich weiß«, antwortete Gwinneth. »Als es geschah, da dachte ich, wir alle müssten sterben. Es gab viele Verletzte, sehr viele, aber nicht einen einzigen Toten in der Burg und auch nicht in der Stadt.«
»Ihr wart dabei?«, fragte Dulac erschrocken. Erst dann begriff er, was für eine dumme Frage das war.
»Es war furchtbar.« In Gwinneths Stimme war ein Klang, der Dulac verriet, dass schon die bloße Erinnerung an das furchtbare Geschehen ausreichte, um den Schrecken wieder wachzurufen.. »Die Erde hat gebebt wie ... wie ein sterbendes Tier. Dreimal.«
Dulac brachte sein Pferd abermals mit einem harten Ruck am Zügel zum Stehen und starrte sie aus aufgerissenen Augen an. »Drei...mal?«, keuchte er.
Gwinneth nickte. »Der erste Erdstoß war nicht einmal sehr schlimm«, sagte sie. »Gerade stark genug, um ein paar Möbel umzuwerfen und alle aufzuwecken.«
»Aufzuwecken?« Dulacs Herz begann schneller zu schlagen. »Es war ... kurz vor Sonnenaufgang?«
Gwinneth runzelte die Stirn. »Bei Anbruch der Dämmerung«, bestätigte sie. »Woher weißt du das?«
»Du hast von aufwecken gesprochen«, antwortete Dulac mit belegter Stimme. Er begann am ganzen Leib zu zittern. Es durfte nicht sein. Nicht das! Bitte! Wenn es einen Gott gab, dann durfte es nicht so gewesen sein! »Und es waren ... drei Erdstöße? Gewiss drei?«

»Der letzte war der schlimmste«, sagte Gwinneth. »Ich dachte schon, es wäre vorbei, aber dann ...« Die Erinnerung an das Schreckliche verdüsterte ihren Blick. »Der große Turm ist ... ist regelrecht explodiert! Die Trümmer sind bis zur Stadtmauer geflogen. Es war, als hätte ein Riese mit einem unsichtbaren Hammer auf die Burg geschlagen!«

Oder ein Dummkopf mit einem Schwert, dachte Dulac. Er fühlte sich wie betäubt. In ihm war ein kaltes, unendlich tiefes Entsetzen.

Langsam löste er die rechte Hand vom Zügel und hob sie vor die Augen. Sie zitterte immer heftiger. Er konnte es nicht unterdrücken. Die Kälte in ihm wurde schlimmer. Es war diese Hand, die das Schwert geführt hatte. Er, er ganz allein, war für diese entsetzlichen Verwüstungen verantwortlich! Und hätte Morgaine ihn nicht aufgehalten ...

Nein, er wagte es nicht, diesen Gedanken auch nur zu Ende zu denken.

Er ließ die Hand wieder sinken und ritt weiter. Gwinneth sah ihn nachdenklich an, sagte aber nichts, sondern ritt schweigend neben ihm her.

So schlimm der Weg zur Burg auch war, gab es doch einen Lichtblick. Zahlreiche Menschen, an denen sie vorbeikamen, blieben stehen oder unterbrachen ihre Tätigkeit, um Gwinneth zuzuwinken oder ihr ein Lächeln zu schenken. Sie war offensichtlich sehr beliebt unter den Einwohnern Camelots. Sie würde eine Königin werden, die von ihrem Volk geliebt wurde. So wie Artus einmal ein König gewesen war, den das Volk liebte.

Endlich erreichten sie Camelot. Der Hof war so überfüllt, dass sie absteigen und zu Fuß durch das Tor gehen mussten. Die Trümmer waren zwar beiseite geräumt worden, aber alles war voll gestopft mit Steinen, Balken, Dachziegeln und anderen Baumaterialien und Dutzende von Handwerkern waren damit beschäftigt, die Schäden zu reparieren.

Dulac wollte sich mit einer Frage an Gwinneth wenden, aber er kam nicht dazu, denn in diesem Moment ging die Tür des Palas auf und Artus, Galahad und Mandrake traten ins Freie. Braiden folgt ihnen. Sein rechter Arm hing in einer Schlinge, was bewies, dass seine Verletzung trotz der langen Zeit noch immer nicht vollständig ausgeheilt war, die drei anderen Ritter aber machten einen durchaus gesunden Eindruck.

Vor allem Sir Mandrake lebendig und gesund zu erblicken erfüllte Dulac mit großer Erleichterung. Er hatte den Gedanken mit einigem Erfolg aus seinem Bewusstsein verdrängt, aber tief in ihm war doch die nagende Furcht geblieben, den Tafelritter getötet zu haben.

Als Artus ihn sah, blieb er mitten im Schritt stehen und ein Ausdruck von Überraschung erschien auf seinen Zügen. Nicht unbedingt *freudiger* Überraschung, wie Dulac unangenehm berührt feststellte. Vielleicht war Gwinneths Einschätzung, was Artus' Gefühl ihm gegenüber anging, doch ein wenig zu optimistisch gewesen. Aber nun konnte er nicht mehr zurück, zumal Gwinneth ihn am Oberarm ergriff und hinter sich her die Treppe hinauf und auf Artus zu zog.

»Artus, schau, wen ich gefunden habe!«, sagte sie aufgeregt.

Artus' Stirnrunzeln vertiefte sich noch, als er Dulac mit einem langen Blick von Kopf bis Fuß musterte.

»Ja«, sagte er. »Ich erinnere mich, dass uns jemand abhanden gekommen ist. Du hast ihn gefunden, sagst du? Darf ich fragen, wo?«
»Am See«, antwortete Gwinneth. »Ich wollte ausreiten, und als ich dort ankam, da stand er im Wasser.«
»Und dabei sind ihm seine Kleider abhanden gekommen, nehme ich an. Sind sie weggeschwommen?«
Dulac wollte antworten, aber Gwinneth kam ihm zuvor.
»Seine alten Kleider hingen in Fetzen«, sagte sie. »Vier Wochen in den Wäldern sind ihnen nicht sehr gut bekommen. Er wollte dir nicht in Lumpen unter die Augen treten.«
Artus' Blick verriet, was er von dieser Antwort hielt, aber er gab sich damit zufrieden. Einen Moment lang sah er Dulac noch auf die gleiche, nicht besonders angenehme Art an, dann drehte er sich herum und wechselte ein paar Worte mit den Rittern, die Dulac nicht verstand, woraufhin sich diese rasch entfernten. Dann drehte er sich wieder zu Dulac um.
»Du bist also wieder da«, begann er. »Glaub es oder nicht, ich freue mich, dich unversehrt wieder zu sehen. Ich hatte ehrliche Angst, dass die Pikten dich getötet oder verschleppt hätten.«
»Beinahe hätten sie das auch«, improvisierte Dulac. »Ich ... es tut mir Leid, Herr. Als ich sie aus dem Wald brechen sah, da habe ich es einfach mit der Angst zu tun bekommen und bin weggelaufen. Einer der Barbaren hat mich verfolgt. Ich konnte ihm entkommen, aber dabei habe ich mich im dichten Wald verirrt. Ich ... ich wollte zurück um Euch beizustehen, aber ich habe mich immer tiefer im Wald verirrt.«

Artus lächelte flüchtig. »Mach dir keine Vorwürfe«, sagte er. »Wir hatten Hilfe genug. Wenn du zurückgekommen wärst, hätte es dich vielleicht das Leben gekostet. Aber wo bist du die ganze Zeit über gewesen?«

Dulac druckste einen Moment herum und schließlich wählte er die Antwort, von der er annahm, dass Artus sie erwartete.

»Ich ... ich wäre ja zurückgekommen, aber ich ... ich habe es nicht gewagt. Ich fürchtete, dass Ihr mich für meine Feigheit bestraft.«

»Feigheit?« Artus hob die linke Augenbraue. »Es ist nicht unbedingt ein Zeichen von Mut, sich allein gegen hundert Bewaffnete zu stellen. Eher von Dummheit. Was hättest du getan, wenn Gwinneth dich nicht getroffen hätte? Den Rest deines Lebens als Einsiedler in den Wäldern verbracht?« Er lachte. »Aber gut, jetzt, wo du wieder hier bist, müssen wir überlegen, was wir mit dir tun.«

»Tun?« Dulac sah sich unbehaglich um.

»Dein alter Platz ist besetzt«, antwortete Artus. »Ich habe Tander die Verantwortung über Küche und Keller Camelots übertragen.«

»Das ... hat mir Gwin –« Dulac verbesserte sich rasch. »*Lady Gwinneth* schon gesagt.«

Sein Versprecher entging Artus keineswegs, aber er sagte nichts dazu. »Gehen wir hinunter und sehen wir, ob wir eine Aufgabe für dich finden. Dein Ziehvater wird sich sicher ebenfalls freuen dich zu sehen.«

Das bezweifelte Dulac. Wenn Tander überhaupt einen Gedanken an ihn verschwendet hatte, dann allerhöchstens den, dass er heilfroh war, ihn los zu sein. Natürlich sprach er das nicht aus, sondern drehte sich gehorsam herum, als

Artus eine entsprechende Geste machte. Bevor sie gingen, wandte sich Artus jedoch noch einmal an Gwinneth.

»Es ist gut, dass du ihn gefunden und mitgebracht hast«, sagte er. »Trotzdem – du warst wieder draußen am See. Ich bitte dich inständig, Gwinneth, tu es nicht wieder. Du bist außerhalb der Stadtmauern nicht sicher.«

»Vier deiner Krieger haben mich begleitet.«

»Nicht einmal *vierhundert* Krieger könnten für deine Sicherheit garantieren«, antwortete Artus. Er klang mehr verärgert als besorgt. »Mordreds Heer ist noch längst nicht geschlagen. Gerade berichtet mir Galahad, dass er auf Spuren einer großen Anzahl Reiter gestoßen ist, die gewiss nicht zu uns gehören. Es wäre mir lieber, wenn du Camelot nicht verlässt. Wenigstens für eine Weile, bis es wieder sicherer ist.«

»Aber ich hatte doch einen Beschützer bei mir«, antwortete Gwinneth und deutete lächelnd auf Dulac. »Mir konnte gar nichts geschehen.«

»Ja«, seufzte Artus. Man sah ihm an, dass er innerlich resignierte. Es hatte wohl wenig Sinn, mit Gwinneth zu diskutieren.

Nachdem Artus' zukünftige Frau im Haus verschwunden war, setzten sie ihren Weg fort und gingen in den Keller. Dulac, der dicht vor Artus herging, rechnete instinktiv damit, von einer Bratpfanne oder einem Kochtopf getroffen zu werden, als er das Ende der Treppe erreichte, aber natürlich geschah das nicht. Doch er erlebte eine andere Überraschung.

Die Küche hatte sich vollkommen verändert. Der üble Geruch, der immer irgendwie in der Luft gehangen hatte, war verschwunden. Die Wände waren frisch gekalkt worden und Dagdas uralter verbeulter Kessel war durch ein neues, blitzendes Kupfergefäß ersetzt worden. Dasselbe galt für beinahe alles Kochgeschirr und den größten Teil der Möblierung. Der Raum wirkte adrett und hell. Tander hatte ausgezeichnete Arbeit geleistet. Aber Dulac war auch sicher, dass er dafür sehr tief in Artus' Schatulle gegriffen hatte und das mit beiden Händen.

Tander war nicht hier, aber Dulac glaubte seine Stimme aus dem angrenzenden Raum zu hören. Als er sich jedoch dorthin wenden wollte, schüttelte Artus rasch den Kopf.

»Hier hat sich eine Menge verändert, nicht wahr?« Seine Stimme klang leise, als wolle er nicht, dass er im Nebenzimmer gehört wurde. »Tander hat gute Arbeit geleistet. Und das Essen ist auch besser geworden. Schade nur, dass er mich dabei so unverschämt bestiehlt.« Er schüttelte den Kopf, seufzte und fuhr noch einmal deutlich leiser fort: »Du wirst ein Auge auf ihn werfen. Halte mich auf dem Laufenden, aber pass auf, dass er es nicht merkt.« Seine Stimme wurde wieder lauter: »Tander!«

Wie aus dem Boden gewachsen erschien der Schankwirt unter der Tür. Auf seinem Gesicht lag ein überraschter Ausdruck, der jedoch nicht ganz echt wirkte. Offensichtlich hatte er gelauscht. Dulac fragte sich, wie viel er wirklich gehört hatte.

»Ich bringe dir einen neuen Gehilfen«, sagte Artus.

»Einen ... Gehilfen, Herr? Aber ich habe keinen –«

»Für ein Paar Hände mehr findet sich immer eine Aufgabe«, sagte Artus. »Der Junge kennt sich hier aus und wird dir von Nutzen sein. Bis wir eine andere Aufgabe für ihn gefunden haben, wird er dir in der Küche helfen.«

»Wie Ihr befehlt, Herr.« Tander senkte demütig den Kopf.

Er wagte es nicht, zu widersprechen, sondern blieb in unveränderter Haltung stehen, bis Artus sich herumgedreht hatte und gegangen war. Auch dann gab er noch einige Augenblicke zu, wohl um sicher zu sein, dass der König auch wirklich außer Hörweite war.
»Also weilt Artus' Schützling wieder unter uns«, sagte er dann. »Was für eine Ehre. Noch dazu eine, mit der wir gar nicht mehr zu rechnen gewagt hätten. Wo hast du dich die ganze Zeit herumgetrieben, du Nichtsnutz?«
»Mal hier, mal da«, antwortete Dulac schulterzuckend. »Die meiste Zeit war ich auf Avalon und habe mich mit ein paar Elbenkriegern geschlagen, die mir ans Leder wollten.«
Tander japste. »Übertreib es nicht, Bürschchen«, sagte er. Seine Augen blitzten. »Ob du nun Artus' Schützling bist oder nicht, eine Tracht Prügel kann ich dir immer noch verpassen.«
Daran zweifelte Dulac nicht. Auch nicht daran, dass Tander nur auf einen Vorwand wartete, ihm genau diese Tracht Prügel zu verabreichen. Aber davor hatte er plötzlich gar keine Angst mehr. Tander konnte ihm nichts antun, was auch nur annähernd so schlimm war wie das, was ihm bereits geschehen war.
»Was soll ich tun?«, fragte er anstatt sich mit Tander auf eine Diskussion einzulassen, die ohnehin zu nichts führte. Tander spießte ihn mit zornigen Blicken regelrecht auf, schien aber tatsächlich einen Moment lang über diese Frage nachzudenken. Während er es tat, ging Dulac kurzerhand an ihm vorbei und betrat den angrenzenden Raum. Er erkannte ihn kaum wieder. Das Einzige, was noch wie früher aussah, war der Kamin an der gegenüber-

liegenden Wand. Wahrscheinlich hätte Tander auch ihn weggeschafft, wäre er nicht festgemauert gewesen. Was aber einmal Dagdas Schlafraum gewesen war, das war nun ein mit Gerümpel und Vorräten voll gestopftes Durcheinander. Dulac war schockiert.

»Wo ... wo sind Dagdas Sachen?«, fragte stockend.

»Ich wüsste nicht, was dich das anginge!«, schnappte Tander. »Als ich den ganzen Kram mit eigenen Händen wegräumen musste, hat es dich auch nicht interessiert. Was also willst du –«

»Dagdas Bücher!«, fiel ihm Dulac ins Wort. Gleichzeitig fuhr er auf dem Absatz herum und funkelte Tander so wütend an, dass dieser instinktiv einen halben Schritt zurückwich und die Hände hob, als hätte er plötzlich Angst, von Dulac geschlagen zu werden. »Seine Aufzeichnungen! All seine Sachen! Was habt Ihr damit gemacht?«

»Das ... das meiste hat Artus wegschaffen lassen«, antwortete er hastig. »Die Bücher und Schriftrollen. Was übrig blieb, habe ich weggeworfen. Es war sowieso nur altes Zeug, das keiner mehr wollte.«

»Weggeworfen?« Nie und nimmer. Garantiert hatte er verkauft, was sich zu Geld machen ließ, und den Rest irgendwo versteckt.

»Natürlich«, behauptete Tander. Dann verdunkelte Zorn sein Gesicht. »Was geht dich das überhaupt an, du Nichtsnutz? Treibst dich wochenlang herum, und kaum bist du wieder da, führst du dich auf, als wärst du der König persönlich! Ich glaube, es wird Zeit, dir wieder einmal Manieren beizubringen!«

Er hob den Arm, um seine Drohung wahr zu machen und Dulac einen Schlag zu versetzen, aber dann geschah etwas

ganz und gar Sonderbares: Dulac sah ihn einfach nur an, sehr ruhig, ohne Furcht, aber auch ohne Zorn. Tander erstarrte mitten in der Bewegung. Einen Moment lang hielt er Dulacs Blick noch stand, dann ließ er den Arm sinken und machte einen Schritt zurück und schließlich hatte er nicht einmal die Kraft, Dulac in die Augen zu sehen.
»Im Moment habe ich hier nichts für dich zu tun«, sagte er. »Verschwinde. Geh ins Gasthaus, dort ist Arbeit genug. Wander wird dir zeigen, was zu tun ist.«
»König Artus hat gesagt –«
»Ich weiß, was Artus gesagt hat!«, fiel ihm Tander wütend ins Wort. »Bis morgen werde ich schon eine Aufgabe für dich gefunden haben, aber jetzt verschwinde endlich. Ich habe zu arbeiten.«
Vermutlich muss er rasch noch die letzten Spuren seiner Diebereien beseitigen, dachte Dulac. Er hätte sich weigern und einfach hier bleiben können, indem er auf Artus' Befehl pochte, und er wäre vermutlich auch damit durchgekommen. Aber damit hätte er Tander nur misstrauisch gemacht.
Er ging ohne ein weiteres Wort.

Das Gasthaus gehörte zu den wenigen Gebäuden der Stadt, die durch das Beben keine Schäden davongetragen hatten. Die zurückliegenden Wochen hatten Tander und seinen Söhnen sogar ausgereicht, die von den Pikten angerichteten Schäden zu reparieren. Wander zeigte sich höchst erstaunt, Dulac wieder zu sehen, aber anders als sein Vater überschüttete er ihn mit Fragen, wo er die ganze Zeit gewesen und was ihm widerfahren war.
Dulac redete sich heraus, so gut er konnte, und nach ei-

ner Weile begriff Wander wohl, dass er nicht über die zurückliegende Zeit reden wollte, und wies ihm eine Arbeit zu. Im Grunde war es nur eine Beschäftigung. Er musste nicht annähernd so schwer arbeiten, wie es der Fall gewesen wäre, wäre Tander selbst da gewesen, und noch bevor es zu dämmern begann, beschied ihm Wander, dass es für heute genug sei und sie nun essen konnten.

Dulac hatte den Nachmittag damit verbracht, die Zimmer in der oberen Etage zu säubern und für Gäste herzurichten, die vielleicht kommen mochten, und so war er ziemlich erstaunt zu sehen, dass Wander ihr Mahl am großen Tisch in der Gaststube aufgetragen hatte statt in der Küche, wie er es gewohnt war. Er setzte sich, sah Wander jedoch zögernd an, ehe er nach der Schale mit heißer Suppe griff. Es war heiße, dicke Suppe mit viel Gemüse und großen Fleischstücken, eine Köstlichkeit, die er selten bekommen hatte, wenn Tander die Befehlsgewalt in der Küche hatte.

»Und wenn jetzt Gäste kommen?«, fragte er mit einer entsprechenden Kopfbewegung zur Tür.

»Dann sind noch genügend andere Tische frei«, antwortete Wander lapidar. Er brach ein Stück Brot ab, tunkte es in seine Suppe und fuhr kauend und mit vollem Mund fort: »Außerdem kommen keine Gäste.«

»Was soll das heißen, es kommen keine Gäste? Ist das Gasthaus geschlossen?«

»Nein«, antwortete Wander. »Aber es kommt niemand mehr. Der letzte Gast war vor zwei Wochen da.« Er hob die Schultern. »Du hast die Stadt gesehen. Die Menschen haben Besseres zu tun als ins Gasthaus zu gehen. Und seit sich die Barbaren rings um Camelot zusammenziehen, kommen keine Gäste mehr von außerhalb.«

Dulac ließ das Brot sinken. »Seit sich ... die Barbaren zusammenrotten?«, wiederholte er. »Was meinst du damit?«

»Dafür, dass du vier Wochen lang in den Wäldern gelebt hast, weißt du ziemlich wenig«, sagte Wander spöttisch.

»Ich war ziemlich weit weg«, antwortete Dulac. »Und die meiste Zeit habe ich mich in den Wäldern versteckt.«

»Dabei hättest du eigentlich über sie stolpern müssen«, sagte Wander, »denn die Wälder wimmeln von Pikten. Es heißt, Mordred zieht ein Heer zusammen, um gegen Camelot zu ziehen.«

»Und Artus unternimmt nichts dagegen?«

»Was soll er tun?«, fragte Wander. »Er hat Patrouillen ausgeschickt und er stellt seinerseits ein Heer auf. Seine Ritter bilden einen Trupp von fünf- oder sechshundert Mann aus – Sander ist übrigens auch dabei –, aber das ist alles, was Camelot an waffenfähigen Männern entbehren kann.«

Seine Worte erschreckten Dulac weit mehr, als er zugab. Ein Heer? Camelot hatte niemals ein *Heer* gebraucht. Artus und seine Tafelritter waren alles, was sie an Schutz nötig hatten.

»Dann wird es Krieg geben?«, fragte er fast im Flüsterton.

»Es sieht so aus«, antwortete Wander düster. »Artus behauptet zwar bei jeder Gelegenheit, dass nicht einmal Mordred wahnsinnig genug wäre, Camelot offen anzugreifen, aber in Wahrheit glaubt er das wohl nicht einmal selbst.«

»Das klingt nicht nach dem Artus, den ich kenne«, murmelte Dulac.

»Artus hat sich verändert, seit Lancelot nicht mehr da ist«, bestätigte Wander. »Er macht sich wohl Vorwürfe.«
»Weshalb?«
Statt zu antworten machte Wander eine wegwerfende Handbwegung. »Ich will nicht den Hofklatsch wiedergeben«, sagte er. »Ich war nicht dabei. Warum fragst du ihn nicht selbst?«
Dulac beugte sich hastig über seine Suppe. Er hatte Wander mit seiner Frage verärgert, auch wenn er nicht genau wusste wieso. Eine Zeit lang aßen sie schweigend, dann wechselte Dulac ganz bewusst das Thema.
»Wenn keine Gäste mehr kommen, wovon lebt ihr dann?«
»Der König zahlt gut«, antwortete Wander.
Und was er nicht bezahlt, das stiehlt Tander eben, fügte Dulac in Gedanken hinzu. Natürlich sprach er es nicht aus. Wander wusste es sowieso. Er wechselte abermals das Thema.
»Was erzählt man sich über die bevorstehende Hochzeit?«
Wander lutschte schmatzend die Brühe aus seinem Brot und hob die Schultern. »Sie wird wohl stattfinden, aber wenn du mich fragst, ist es kein guter Zeitpunkt. Das Volk will keine große Hochzeitsfeier, wenn Mordreds Horden bereits mit der Fackel in der Hand dastehen, um ihm das Dach über dem Kopf anzuzünden.«
»Vielleicht gibt es ja keinen Krieg«, sagte Dulac. Die Worte klangen nicht einmal in seinen eigenen Ohren überzeugend und Wander machte sich auch gar nicht die Mühe, darauf zu antworten. Er schlürfte weiter seine Suppe, schob die nur halb geleerte Schale schließlich zurück und sagte: »Ja, vielleicht.«
Warum tat Artus nichts? Dulac ließ alles, was er gerade

gehört hatte, noch einmal in Gedanken Revue passieren, aber es ergab hinterher noch weniger Sinn als zuvor. Der Artus, den er kannte, hätte nicht die Hände in den Schoß gelegt und abgewartet, ob die Pikten angriffen oder nicht. Er hätte etwas unternommen. Und dieses *Etwas* hätte gewiss nicht darin bestanden, ein paar hundert hastig ausgebildete Männer aufzustellen, die in der offenen Schlacht ohnehin keine Chance hatten.

»Es ist spät geworden«, sagte Wander plötzlich. Er stand auf. »Räum den Tisch ab und dann solltest du dich besser schlafen legen, damit du morgen früh deinen Dienst auf Camelot antreten kannst. Du magst in einem der Gästezimmer schlafen. Sie werden sowieso nicht gebraucht.«

Er ging. Dulac tat, was er ihm aufgetragen hatte, aber er zögerte, Wanders Angebot anzunehmen und sich in ein Bett eines der Gästezimmer zu legen. Sicher waren sie bequemer und weicher als das Stroh, in dem er sonst geschlafen hatte, aber die heruntergekommene Scheune war so etwas wie sein Zuhause. Und was Tander sagen würde, wenn er zurückkam und ihn schlafend in einem der Gästebetten vorfand, das wagte er sich erst gar nicht vorzustellen.

Er war müde, aber er verschob die Entscheidung, wo er die Nacht verbringen würde, noch einmal und trat stattdessen aus dem Haus. Es war gerade erst dunkel geworden, aber Camelot begann bereits einzuschlafen. Nur der Himmel über der Burg schimmerte noch rot im Widerschein zahlloser Fackeln, die im Hof und auf den Wehrgängen brannten. Eines hatte sich offensichtlich nicht geändert: Die Lichter der Burg brannten länger als die in der Stadt und die Nächte dort waren viel kürzer. Er fragte sich, ob Artus und seine Ritter in diesem Moment an der Tafel saßen und sich berieten.

Und ob Gwinneth bei ihnen war.

Dulac fuhr leicht zusammen. Bisher war es ihm gelungen, den Gedanken an Gwinneth zu verdrängen, aber nun, einmal da, machte er sich sofort selbstständig und verdrängte seinerseits jeden anderen. Er sah Gwinneths Gesicht so deutlich vor sich, als stünde sie tatsächlich da, und sein Herz zog sich zu einem eisigen Klumpen zusammen.

Es war ein Fehler gewesen, zurückzukommen. Er hatte geglaubt, eine zweite Chance bekommen und seine Heimat wieder gefunden zu haben. Das stimmte nicht. Seine Heimat – das, was sie ausgemacht hatte – existierte nicht mehr. Und Gwinneth?

Allein der Gedanke an sie bohrte sich wie eine glühende Messerklinge in sein Herz. Sie hatte gesagt, dass sie ihn brauchte, als Freund, und er hatte geglaubt, dass ihm das ausreichen würde, aber auch das stimmte nicht. Nur in ihrer Nähe zu sein und sie vielleicht dann und wann einmal zu sehen war nicht genug. Er würde den Schmerz auf Dauer nicht ertragen.

Hinter ihm raschelte etwas. Dulac fuhr überrascht herum, sah gerade noch einen Schatten auf sich zufliegen und riss schützend die Arme vor das Gesicht. Aber seine Reaktion kam zu spät. Etwas traf ihn mit solcher Wucht vor die Brust, dass er zwei ungeschickte Schritte zurückstolperte und zu Boden fiel.

Dulac spannte instinktiv die Muskeln und griff nach dem Angreifer – und holte im nächsten Moment keuchend Luft, als eine lange, raue Hundezunge kreuz und quer durch sein Gesicht schlabberte.

»Wolf!«, japste er. »Hör gefälligst auf damit! Ich bekomme ja keine Luft mehr!«
Es war tatsächlich Wolf, der ihn angesprungen hatte. Und der kleine Terrier dachte natürlich nicht daran, seine überschwänglichen Liebesbezeugungen einzustellen, sondern leckte ihm nur noch heftiger über das Gesicht und trampelte dabei nach Herzenslust auf seiner Brust und seinem Hals herum, sodass Dulac schließlich gar keine andere Wahl mehr hatte, als ihn mit beiden Händen zu ergreifen und einfach hochzuheben. Wolf zappelte vor Freude so heftig, dass er seine liebe Mühe hatte, ihn auch nur festzuhalten, und noch mehr, sich in die Höhe zu stemmen. Wolf quietschte vor Freude und wedelte heftig mit dem Schwanz, und als Dulac ihn behutsam zu Boden setzte, sprang er sofort wieder an ihm hoch, sodass er schließlich kapitulierte und ihn auf den Arm nahm um ihn zu streicheln.
Auch Dulac freute sich, den Hund zu sehen. Er musste zu seiner Schande gestehen, dass er Wolf schlichtweg *vergessen* hatte. Dennoch hatte der kleine Hund ihm gefehlt, auch wenn ihm das eigentlich erst jetzt wirklich klar wurde – immerhin war Wolf jahrelang der einzige Freund gewesen, den er gehabt hatte.
Mindestens zehn Minuten lang nötigte ihn Wolf durch heftiges Winseln und Schwanzwedeln dazu, ihn mit beiden Händen zu streicheln, bevor er sich weit genug beruhigt hatte, dass er ihn wenigstens zu Boden setzen konnte. Wolf wuselte noch einige Augenblicke schwanzwedelnd zwischen seinen Füßen herum, dann rannte er auf die Scheune zu, blieb stehen, kläffte, drehte sich herum und kam zurückgewetzt. Das wiederholte sich drei- oder viermal, bis Dulac endlich begriff.

»Ist ja schon gut«, sagte er. »Ich komme.« Wolf wollte in die Scheune, deren Tor geschlossen war. Offensichtlich hatte das treue Tier die ganze Zeit über auf ihn gewartet. Und es fällte mit seinem Verhalten auch gleichzeitig die Entscheidung, wo Dulac die Nacht verbringen würde. So verlockend ihm ein richtiges weiches Bett auch vorkam, diese Scheune war sein Zuhause. Vielleicht das Einzige, das ihm geblieben war.

Wolf wieselte voraus und begann mit der Pfote an der Tür zu kratzen. Dulac schüttelte den Kopf über seine Ungeduld, schritt aber trotzdem rascher aus und rüttelte an der Tür.

Sie ging nicht auf.

Dulac versuchte es noch einmal mit dem gleichen Ergebnis, dann trat er zurück und ließ seinen Blick über das große, zweiflügelige Tor schweifen. Durch den Riegel waren zwei eiserne Krampen getrieben worden, die mit einem schweren Schloss gesichert waren. Dulac musterte beides voller Erstaunen. Ein Schloss war eine kostspielige Angelegenheit und Tander war nicht unbedingt dafür bekannt, Geld zu verschwenden. Außerdem gab es in dieser Scheune nichts, was des Stehlens Wert gewesen wäre. Jedenfalls hatte es das bisher nicht gegeben ...

Wolf kratzte weiter hektisch an der Tür. Der kleine Hund konnte gar nicht verstehen, dass er aus seinem Zuhause ausgesperrt war. Auch Dulac rüttelte noch einen Moment vergeblich an der Tür, dann trat er zurück und ließ seinen Blick suchend über die heruntergekommene Fassade der Scheune schweifen. Das Gebäude war schon alt gewesen, als er nach Camelot gekommen war, und die zurückliegenden zehn Jahre hatten es nicht besser gemacht. Nach kurzem Suchen fand er eine Stelle, an der die Bretter morsch genug waren, um eines davon lösen zu können. Wolf wuselte zwischen seinen Beinen hindurch und verschwand im Inneren der Scheune. Dulac hörte ihn irgendwo in der Dunkelheit rumoren, während er ihm mit einiger Mühe folgte.

Er wollte nicht, dass man auf Anhieb sah, dass er in das verschlossene Gebäude eingedrungen war, deshalb erweiterte er den Spalt nur gerade so weit, dass er sich hindurchquetschen konnte, und zog das Brett hinter sich sorgsam wieder an seinen Platz, bevor er sich aufrichtete und herumdrehte.

Im ersten Moment konnte er kaum etwas sehen, so dunkel, wie es hier drinnen war. Ein sonderbares Gefühl beschlich ihn. Diese Scheune war praktisch sein Zuhause, viel mehr, als es das Gasthaus jemals gewesen war, und nun kam er sich vor wie ein Einbrecher. Warum nur hatte Tander das Schloss an der Tür angebracht? Wenn es etwas gab, wofür Camelot womöglich noch berühmter war als für seine Burg und seinen König, dann war es wohl der Umstand, dass seine Türen immer und jedem offen standen. Die meisten Türen hatten nicht einmal Schlösser.

Dulac wartete darauf, dass sich seine Augen an das schwache Licht hier drinnen gewöhnten, aber auch nachdem dies geschehen war, sah er nichts Außergewöhnliches. Stroh und Heuballen lagen herum und der alte Ochsenkarren, den Tander vor Jahren einmal von einem Gast bekommen hatte, der seine Rechnung nicht bezahlen konnte, stand noch immer an derselben Stelle wie immer. Er – Dulac – hielt mitten in der Bewegung inne, drehte sich wieder zurück und presste die Augen zu schmalen Schlitzen zu-

sammen, ohne dadurch allerdings auch nur einen Deut besser sehen zu können.
Etwas an der Silhouette des Wagens stimmte nicht und es dauerte auch nur noch einen Moment, bis ihm klar wurde, was: Der Wagen, dem im Laufe der Zeit ein Rad abhanden gekommen war, hatte jetzt wieder vier Räder und außerdem war er hoch beladen.
Dulac ging hin, betrachtete stirnrunzelnd das neue Rad und wandte sich dann der schweren Plane zu, die auf der Ladefläche lag. Behutsam hob er sie an einer Ecke an und sah das Blitzen von Metall.
Sein Gesicht verdüsterte sich, als er die Plane weiter zurückschlug und sah, was darunter verborgen war, und jetzt begriff er auch, warum Tander die Scheune so sorgsam verschlossen hatte.
Auf diesem Wagen lag alles, was aus Dagdas Kellerräumen verschwunden war. Das Kochgeschirr aus Kupfer, Teller und Becher aus Zinn und auch etliche schwere Krüge und Silberbestecke. Kein Wunder, dass Tander nicht wollte, dass jemand hier hereinkam. Und auch Wanders Großzügigkeit, ihm ein Bett in einem der Gästezimmer anzubieten, erschien ihm mit einem Mal in einem anderen Licht.
Er betrachtete den Haufen mit Tanders Beute genauer. Jedes einzelne Teil auf dem Wagen war ihm vertraut, und als er sich in Erinnerung rief, wie es nun in Dagdas Küche aussah, ergriff ihn die kalte Wut. Tander hatte alles neu eingerichtet, allerdings mit Sachen von weit minderer Qualität – für die er Artus vermutlich einen vollkommen überhöhten Preis abverlangt hatte. Das kostbare Kupfer- und Zinngeschirr wollte er wohl verkaufen, sobald sich eine Gelegenheit dazu ergab.

Hinter ihm winselte Wolf leise. Dulac drehte den Kopf und sah, dass der kleine Hund vergeblich an dem Wasserfass in die Höhe sprang, das auf der anderen Seite der Tür stand. Er hatte Durst.
»Warte«, sagte er. »Ich gebe dir Wasser.«
Er nahm wahllos einen Becher vom Wagen und ging damit zu Wolf hinüber. Der Terrier hörte auf an dem Fass hochzuspringen, das Dulac zwar nur bis zum Gürtel reichte, dennoch aber mindestens fünfmal so groß war wie der Hund, und sah schwanzwedelnd und hechelnd zu ihm hoch.
»Du bekommst sofort etwas«, versicherte Dulac. Erst als er das Wasser aus der Tonne schöpfen wollte, sah er überhaupt, was er da erwischt hatte: Es war der schwarze Pokal, der jahrelang auf einem Regal in Dagdas Küche gestanden hatte – dasselbe unscheinbare Gefäß, aus dem Sir Lioness den Rittern vor der Schlacht den Messwein gegeben hatte. Schon da hatte er sich gewundert, wieso er ein solches Trinkgefäß wählte, das eines Königs eigentlich nicht würdig war, und er zögerte einen Moment und drehte ihn nachdenklich in den Händen. Selbst in dem schwachen Licht hier drinnen kam er ihm schäbig und unscheinbar vor; er konnte gar nicht richtig verstehen, dass sich Tander überhaupt die Mühe gemacht hatte, ihn zu stehlen. Wahrscheinlich hatte er alles an sich gerafft, was ihm in die Hände geraten war, ohne es auch nur genauer anzusehen.
Dann aber fiel ihm das Gewicht des Bechers auf. Er drehte ihn nachdenklich in den Händen, hielt ihn in einen der Streifen aus grauem Licht, die durch die Ritzen im Dach und den Wänden hereinfielen, und kratzte mit dem Dau-

mennagel daran. Unter der Schicht aus klebrigem schwarzem Schmutz blitzte Metall. Silber, vielleicht Gold. Und als er genauer hinsah, erkannte er eingravierte Verzierungen und flache, regelmäßige Verdickungen, die um den oberen Rand des Gefäßes herum angebracht waren; vermutlich verbargen sich unter dem Schmutz wertvolle Edelsteine. Dieser Becher war nicht schäbig, sondern vielleicht sogar das wertvollste Stück, das auf dem gesamten Wagen zu finden war.

Er zögerte noch einen Moment, ihn zu dem Zweck zu benutzen, zu dem er ihn geholt hatte, aber dann sagte er sich, dass Artus ganz bestimmt nichts dagegen hätte – schon, weil er es nicht wusste und es auch niemals erfahren würde. Er schöpfte Wasser aus dem Fass, stellte den Becher zu Boden und sah zu, wie Wolf ihn hastig leer schlabberte.

Der Anblick weckte seinen eigenen Durst. Er wartete, bis Wolf fertig getrunken hatte, dann hob er den Becher auf, goss das restliche Wasser weg und wollte gerade frisches schöpfen, als Wolf plötzlich ein tiefes, drohendes Knurren ausstieß und mit aufgestellten Ohren zur Tür hinsah.

Dulac blieb einen Moment lang reglos stehen und lauschte. Er hörte nichts, aber die Sinne des Hundes waren viel schärfer als seine eigenen. Wenn Wolf dort draußen etwas witterte, dann war er gut damit beraten, auf ihn zu hören.

Er fuhr auf der Stelle herum, eilte zum Wagen zurück und legte den Becher wieder an seinen Platz und in diesem Moment hörte er ein Geräusch: Schritte, die sich schnell näherten und auf die Tür zukamen, dann undeutliche Stimmen und das Klappern eines Schlüssels im Schloss.

Für einen Moment drohte Dulac in Panik zu geraten. Jemand kam herein und er hatte nur noch wenige Augenblicke Zeit, sich irgendwo zu verstecken. Das Problem war, dass es hier praktisch kein Versteck gab. Und den Weg die Leiter hinauf und bis auf den Heuboden würde er niemals schaffen. Er konnte hören, wie das Schloss aufsprang und jemand den Riegel zurückschob.
Hastig rückte er die Plane wieder in ihre ursprüngliche Position und duckte sich in das einzige Versteck, das es weit und breit gab – auch wenn es diesen Namen im Grunde nicht verdiente –: direkt unter den Wagen. Im selben Augenblick wurde die Tür geöffnet und zwei Personen betraten die Scheune. Das rote Licht einer Fackel vertrieb die Dunkelheit, erweckte aber zugleich auch die Schatten zu unheimlichem Leben. Dulac presste sich gegen den Boden und hielt den Atem an, aber er wusste, das ihn das nicht im Geringsten schützen würde, wenn einer der beiden auch nur in seine Richtung blickte.
Das taten sie nicht, doch sie bewegten sich nebeneinander auf den Wagen zu. Dulac konnte zwar nur Schuhe und Hosen erkennen, war aber trotzdem sicher, dass einer der beiden Tanders Sohn war. Nur einen Moment später wurde sein Verdacht bestätigt, denn er hörte Wanders Stimme:
»Das muss bis morgen Abend verschwunden sein.«
Jemand ächzte und Dulac runzelte überrascht die Stirn, als er Evans Stimme antworten hörte: »Der ganze Kram? Vollkommen unmöglich!«
Die Plane wurde zurückgeschlagen. Metall schepperte.
»Wir brauchen eine Woche, um das alles aus der Stadt zu schaffen, ohne dass es jemand merkt.«

»So viel Zeit habt ihr aber nicht«, antwortete Wander gereizt. »Das Zeug muss bis morgen weg sein. Ich kann es auch selbst tun, aber dann sehe ich schwarz für euren Anteil.«
»Moment mal!«, protestierte Evan. »Wir haben die ganze Arbeit gemacht und jetzt –«
»– kneift ihr im entscheidenden Moment«, fiel ihm Wander ins Wort. Das Licht flackerte und die Schatten begannen erneut hin und her zu huschen, als bewege Wander unwillig die Fackel, die er in der Hand hielt. »Ich sage ja nicht, dass es wirklich so ist. Aber du kennst meinen Vater. Er wird es ganz bestimmt so sehen.«
Evan schnaubte. »Dein Vater ist –«
»– mein Vater«, unterbrach ihn Wander. »Also überleg dir lieber genau, was du jetzt sagst.«
Einen Augenblick lang herrschte Schweigen, während Evan unruhig von einem Fuß auf den anderen trat. »Ich verstehe nicht, was die plötzliche Eile soll«, sagte er schließlich, jetzt aber in eher quengeligem als zornigem Ton. »Das Zeug liegt seit Wochen hier herum. Wieso ist es plötzlich so eilig?«
»Weil Dulac wieder da ist.«
»Dulac?«, keuchte Evan.
»Dulac«, bestätigte Wander, »ja. Stell dir vor, mein heiß geliebter Stiefbruder ist wieder da. Und natürlich hat er sich sofort wieder bei Artus lieb Kind gemacht. Kannst du dir vorstellen, was passiert, wenn er dem König erzählt, dass er das eine oder andere aus der Burg vermisst und Artus möglicherweise hierher kommt und *das* hier sieht?«
»Er würde euch alle aufhängen lassen«, sagte Evan.
»Falsch«, verbesserte ihn Wander. »Nicht nur uns, son-

dern dich und deine Freunde auch. Du siehst, es ist wirklich besser, wenn ihr euch etwas einfallen lasst.«
Abermals schepperte Metall und Dulac registrierte eine Bewegung aus den Augenwinkeln. Sein Herz machte einen erschrockenen Sprung, als er Wolf erkannte. Der kleine Hund hatte sich mit aufgestellten Ohren neben ihm postiert und die Lefzen zurückgezogen, sodass man seine spitzen Zähne sehen konnte. Er knurrte so leise, dass selbst Dulac es kaum hörte, aber es konnte nur noch Augenblicke dauern, bis er in ein wildes Gekläff ausbrach.
»Still«, flüsterte Dulac. »Wolf, sei um Gottes willen still!«
Normalerweise war dies die sicherste Methode, um Wolf erst recht ein wüstes Gebell anstimmen zu lassen, aber das Wunder geschah: Statt laut loszubellen beließ es Wolf bei einem zornigen Knurren, das allerdings so leise war, dass Wander und Evan es nicht hören konnten.
Jedenfalls hoffte es Dulac ...
Eine ganze Weile herrschte Schweigen, nur unterbrochen von einem gelegentlichen Scheppern und Klirren, wenn einer der beiden in der Ladung des Wagens herumkramte. Dann fragte Evan:
»Wo ist er überhaupt die ganze Zeit gewesen?«
»Das weiß ich nicht«, antwortete Wander in verstimmtem Ton. »Und wenn es nach mir ginge, dann wäre er auch gar nicht erst zurückgekommen.«
»Dann jag ihn doch einfach weg!«
»Wenn das so einfach wäre!« Wander schnaubte zornig. Etwas klapperte und Dulacs Herz machte einen erschrockenen Sprung, als derselbe Becher, mit dem er Wolf gerade Wasser geschöpft hatte, vom Wagen fiel und direkt auf sie zurollte. Wander fluchte ungehemmt, ließ sich in

die Hocke sinken und tastete mit der Hand nach dem Becher, während er fortfuhr: »Er steht immer noch unter Artus' Schutz. Niemand versteht, warum, aber es ist so.«
Dulac hielt die Luft an, als Wanders tastende Hand den Becher zwar verfehlte, sich dafür aber Wolf näherte. Der Terrier fletschte die Zähne und sein Knurren wurde eine Spur lauter.
»Vielleicht haben wir ja Glück und er verschwindet irgendwann wieder«, sagte Wander. »Wo ist dieser verdammte ... ah, da haben wir ihn ja!«
Seine Hand schloss sich um den Rand des Bechers und Dulac konnte gerade noch ein erleichtertes Aufatmen unterdrücken, als er sich wieder aufrichtete, ohne auch nur einen Blick unter den Wagen geworfen zu haben.
»Was auf jeden Fall verschwinden muss, ist dieser Kram hier«, fuhr Wander fort. »Ich habe ihn für heute Nacht in einem der Gästezimmer untergebracht, aber der Bursche ist neugierig wie eine Katze. Du sprichst also mit deinen Freunden.«
»Das muss ich ja wohl«, maulte Evan.
»Und noch etwas«, fügte Wander hinzu. »Mein Vater weiß genau, was auf dem Wagen liegt.«
»Darauf wette ich«, antwortete Evan. Dulac konnte hören, wie die Plane wieder an ihren Platz geschoben wurde, dann drehten sich die beiden herum und gingen. Nachdem sie die Tür zugeschoben und das Schloss vorgelegt hatten, konnte Dulac ihre Stimmen draußen leiser werden hören. Er verstand nicht, was sie sagten, aber es klang nicht gerade nach einer freundschaftlichen Unterhaltung. Dulac atmete erleichtert auf, aber es verging noch eine Minute, ehe er es wagte, unter dem Wagen herauszukrie-

chen und sich langsam aufzurichten. Das war knapp gewesen! Was die beiden mit ihm gemacht hätten, wäre er entdeckt worden, das wollte er sich gar nicht erst vorstellen.
Er wartete noch eine Weile, bevor er es wagte, die Scheune zu verlassen und in das Zimmer zurückzuschleichen, das Wander ihm zugewiesen hatte.

Er fand in dieser Nacht nicht besonders viel Schlaf. Das Bett war zwar weich und bequem, aber ihm ging zu viel durch den Kopf. Erst lange nach Mitternacht fiel er in einen unruhigen Schlummer, aus dem er mehrmals hochschrak, und ungefähr eine Stunde vor Sonnenaufgang erwachte er endgültig und setzte sich auf.
Das Haus war noch vollkommen still. Das Fenster stand offen und die Nachtkälte war hereingekrochen und ließ ihn selbst unter der Decke zittern. Er war noch immer todmüde. Seine Augen brannten und seine Glieder fühlten sich an, als wären sie mit Blei gefüllt. Trotzdem ließ er sich nicht wieder zurücksinken, sondern schlug die Decke zur Seite und stand auf. Es war eigentlich noch viel zu früh um zur Burg zu gehen. Wenn sich das Leben dort nicht radikal geändert hatte, dann waren Artus und seine Ritter wahrscheinlich erst vor wenigen Stunden zu Bett gegangen. Artus würde nicht begeistert sein, wenn er ihn jetzt weckte. Aber er hatte nicht viel Zeit. In zwei oder drei Stunden spätestens trat Tander seinen Dienst auf Camelot an und er würde ihn wahrscheinlich den ganzen Tag über scharf im Auge behalten. Und Artus würde seinen Ärger, zu so früher Stunde aus dem Schlaf gerissen worden zu sein, rasch vergessen, wenn Dulac ihn in die Scheune führte.

Schließlich hatte er Dulac ja selbst den Auftrag gegeben, Tander im Auge zu behalten.
Er schlüpfte in Hemd und Hose, nahm aber die Stiefel in die Hand und schlich auf nackten Füßen die Treppe hinunter. Erst als er das Gasthaus verlassen und die Tür lautlos hinter sich zugezogen hatte, setzte er sich auf die unterste Stufe und zog auch die Stiefel an.
Ein kleiner, struppiger Schatten trat aus der Dunkelheit heraus und sah schwanzwedelnd und aus leuchtenden Augen zu ihm hoch. Dulac lächelte Wolf zu und kraulte ihn mit der linken Hand zwischen den Ohren, während er mit der anderen den viel zu engen Stiefel hochzog. Wolf war verschwunden, nachdem er die Scheune verlassen hatte, aber das hatte ihn nicht erstaunt. Wolf kam nie ins Haus, was zum einen daran lag, dass Tander ihn dort nicht duldete und mit Füßen nach ihm trat, wenn er ihn erblickte, zum viel größeren Teil aber wohl daran, dass Wolf sich im Haus ebenso unwohl fühlte wie Dulac selbst. Obwohl er selten in einem so weichen Bett geschlafen hatte wie heute, war er doch beinahe froh, wieder im Freien zu sein. Er gehörte hierhin, nicht in dieses Zimmer mit seinem bequemen Bett, und er wusste, dass es Wolf nicht besser erging. Der kleine Hund hatte wahrscheinlich gar nicht verstanden, dass er die Nacht im Haus verbracht hatte, und hier draußen auf ihn gewartet.
Zu seinem Erstaunen blieb Wolf jedoch nicht stehen und bettelte darum, gekrault zu werden, bis Dulac die Hand lahm wurde. Stattdessen wich er nach einem Augenblick ein kleines Stück zurück und gab ein Geräusch von sich, wie Dulac es noch nie zuvor von ihm gehört hatte; eine sonderbare Mischung aus Knurren, Winseln und einem

gedämpften Bellen, das Dulac verwirrt den Kopf drehen und in seine Richtung blicken ließ.
Wolf hatte aufgehört mit dem Schwanz zu wedeln. Er sah auch nicht mehr in seine Richtung, sondern starrte mit gefletschten Zähnen in die Dunkelheit auf der anderen Seite der Straße.
Irgendetwas bewegte sich dort. Dulac sah konzentrierter hin und erkannte einen Schatten, der sich in der Dunkelheit regte, dann einen zweiten und dritten ...
Er erkannte die drei Straßenköter, bevor sie wirklich aus dem Schatten heraustraten und nebeneinander die Straße zu überqueren begannen. Ärgerlich runzelte er die Stirn. Die drei hatten ihm gerade noch gefehlt!
»Wolf«, sagte er halblaut. »Verschwinde! Versteck dich irgendwo. Ich werde sie so lange aufhalten.«
Wolf rührte sich nicht, sondern fletschte die Zähne und ließ ein Knurren hören, nicht besonders laut, aber so tief und drohend, dass es auch einem der drei Straßenköter gut zu Gesicht gestanden hätte.
Dulac stand auf, machte eine ärgerliche Geste in Wolfs Richtung und drehte sich dann zu den drei Straßenkötern um. Er hatte nicht wirklich Angst vor ihnen, aber die Biester waren groß genug um ihm Ärger zu machen – und im Moment konnte er alles gebrauchen, nur kein lautstarkes Gekläffe und Gebell direkt unter Tanders Schlafzimmerfenster.
Die drei Hunde hatten die Straße mittlerweile zur Hälfte überquert und trotteten fast gemächlich näher, wobei sie sich gleichzeitig ein wenig auseinander bewegten, um ihrem Opfer jeden möglichen Fluchtweg abzuschneiden. Nicht nur das erinnerte Dulac auf fast unheimliche Weise

an Evan, Stan und Mike, die ihn auf dieselbe Weise in die Zange genommen hatten. Die drei Köter waren ebenso auf Streit aus, wie es die drei Jungen gewesen waren.
Und sie erlebten eine ebenso unangenehme Überraschung.
Dulac hörte ein wütendes Kläffen, fuhr erschrocken herum und riss die Augen auf, als er sah, dass Wolf keineswegs das Weite gesucht hatte, sondern mit gebleckten Zähnen und einem kampflustigen Knurren auf seine drei Gegner zuschoss. Selbst die drei Straßenköter wirkten für einen Moment vollkommen überrascht – aber dann stimmten sie ebenfalls ein schrilles Gebell an und stürzten sich gleichzeitig auf den kleinen Terrier. Dulac erstarrte für einen Moment vor Schrecken, dann stürzte er los um Wolf zu Hilfe zu eilen.
Aber es war gar nicht nötig. Dulac machte zwei, drei rasche Schritte, blieb wieder stehen und starrte auf die Szene vor sich.
Jeder der drei Hunde war nicht nur fünfmal so groß wie Wolf, sondern auch mindestens zehnmal so stark. Sie hätten den kleinen Terrier binnen einem Augenblick in Stücke reißen müssen – doch das genaue Gegenteil war der Fall.
Wolf wütete regelrecht unter den drei Hunden. Er bewegte sich so schnell, dass er zu einem verschwimmenden Schatten zu werden schien. Die drei Hunde schnappten mit ihren gewaltigen Reißzähnen nach ihm, aber sie hatten nicht einmal die Spur einer Chance, ihn zu erwischen. Wolf hingegen traf sein Ziel umso genauer. Schon nach der ersten Sekunde stieß einer der Hunde ein schrilles Jaulen aus, torkelte zur Seite und fiel zwei- oder dreimal hin,

während er sich davonschleppte. Sein linker Vorderlauf war beinahe abgebissen.
Über Dulac flog ein Fensterladen auf, dann ertönte Tanders keifende Stimme: »Was ist das für ein verdammter Lärm? Gebt auf der Stelle Ruhe, ihr blöden Köter, oder es setzt was mit der Peitsche!«
Natürlich gaben die Hunde keine Ruhe. Das Kläffen, Knurren und Winseln der kämpfenden Tiere wurde nur noch lauter und Dulac wich hastig ein paar Schritte zurück, um nicht von Tander entdeckt zu werden. Der Hundekampf auf der Straße tobte unterdessen immer heftiger. Dulac konnte kaum mehr als ein Knäuel ineinander verschlungener, struppiger Körper erkennen, aber nach dem, was er gerade gesehen hatte, war er ziemlich sicher, dass sich der kleine Terrier schon seiner Haut erwehren konnte. Vermutlich sollte er sich eher um die beiden Hunde Sorgen machen.
»Wartet, ihr räudigen Biester!«, brüllte Tander wütend. »Ich ziehe euch das Fell über die Ohren!«
Er warf den Fensterladen mit solcher Wucht zu, dass der ganze Rahmen ächzte, und Dulac wich rasch noch ein paar Schritte zurück. Es war besser, wenn Tander ihn jetzt nicht sah. Einen kurzen Moment sah er zu den kämpfenden Hunden hin, dann drehte er sich herum und lief mit schnellen Schritten davon. Er nutzte die Schatten der Häuser als Deckung, und so schnell er auch lief, verursachten seine Schritte doch nicht den mindesten Laut. Erst als er fast die gesamte Länge der Straße hinter sich gebracht hatte, blieb er stehen und sah zurück. Es herrschte immer noch tiefste Nacht und der Himmel war bewölkt, sodass auch Mond und Sterne kaum Licht spendeten. Er

konnte weder Tander noch die Hunde sehen, aber dafür hörte er sie umso deutlicher: Aus dem wütenden Gekläff der Hunde war längst ein schrilles Jaulen und Wimmern geworden und Tander keifte wie ein Marktweib, dem jemand seinen besten Kohlkopf unter den Fingern weggestohlen hatte. Aber nicht lange, dann wurde aus seinem wütenden Schreien ein schrilles Schmerzensgeheul. Ganz offensichtlich war er den kämpfenden Hunden zu nahe gekommen.

Dulac grinste schadenfroh, drehte sich herum und setzte seinen Weg fort.

Er kam allerdings auch diesmal nur wenige Schritte weit, denn vor ihm wurden Hufschläge laut. Ein Reiter näherte sich.

Aus irgendeinem Grund hatte er das Gefühl, dass es besser war, dem frühen Reiter nicht zu begegnen. Er machte noch zwei Schritte, bis er eine schmale Toreinfahrt erreichte, und trat dann hastig in den schwarzen Schlagschatten des niedrigen Gewölbes. Eng gegen die Wand gepresst und mit nahezu angehaltenem Atem spähte er auf die Straße hinaus.

Die Hufschläge waren näher gekommen und hallten fast unheimlich von den Wänden der dunkel daliegenden Straßenschlucht wider, aber von dem Reiter selbst war im ersten Moment noch nichts zu sehen. Er gab sich zwar keine besondere Mühe, leise zu sein, schien es aber auch nicht besonders eilig zu haben. Es verging noch mindestens eine Minute, bis Dulac ihn sah.

Er runzelte überrascht die Stirn, als er den Reiter erkannte. Artus trug weder seine Rüstung noch eines der prachtvollen Gewänder, in denen man ihn normalerweise sah, son-

dern einen einfachen schwarzen Mantel, dessen Kapuze er hochgeschlagen und weit in die Stirn gezogen hatte. Trotzdem erkannte er ihn jenseits allen Zweifels. Es war Artus. Aber was tat er hier, zu einer Zeit, zu der er normalerweise erst zu Bett zu gehen pflegte, und noch dazu verkleidet?
Dulac wartete bewegungslos, bis Artus an seinem Versteck vorübergeritten war, dann trat er lautlos aus dem Durchgang heraus und folgte ihm. Es fiel ihm nicht besonders schwer. Artus ritt nicht sehr schnell und Dulac musste eher darauf achten, nicht zu sehr aufzuholen, damit Artus ihn nicht sofort sah, sollte er sich unversehens im Sattel herumdrehen.

Sie durchquerten Camelot zur Gänze und näherten sich dem östlichen Tor. Auf dem letzten Stück musste Dulac nun doch rennen, weil Artus plötzlich in einen gemäßigten Galopp verfiel. Es ging ihn nichts an, wohin Artus ritt, und erst recht nicht, warum, aber es war mittlerweile eindeutig, dass Artus die Stadt verlassen wollte. Eigentlich konnte er es sich sparen, ihm noch weiter zu folgen. Wenn er erst einmal draußen war, würde sein Pferd rasch an Tempo zulegen und Dulac musste den Anschluss verlieren.

Artus war vom Pferd gestiegen und machte sich umständlich an dem schweren Riegel zu schaffen. Er stellte sich nicht besonders geschickt dabei an. Ganz offensichtlich hatte er wenig Übung in solcherlei Dingen. Und es war weit und breit niemand zu sehen, der ihm helfen konnte – dabei sollten hier mindestens zwei Wachen stehen. Dulac vermutete, dass Artus sie weggeschickt hatte, um ungesehen aus der Stadt zu kommen.

Während Dulac Artus dabei zusah, wie er sich mit den schweren Riegeln abmühte, wurde ihm klar, dass er zwar

Lancelots Rüstung abgestreift hatte, Lancelot selbst aber wohl niemals ganz loswerden würde. Für eine Weile hatte er sich selbst eingeredet, von Lancelot wieder zu Dulac geworden zu sein, aber das stimmte nicht. Dulac existierte nicht mehr. Die Berührung des Silbernen Ritters hatte ihn ein für alle Mal ausgelöscht und nun, da es auch Lancelot nicht mehr gab, war er zu einem vollkommen anderen geworden. Er wusste selbst nicht genau, zu wem.

Dulac verscheuchte den Gedanken und sah zu, wie Artus wieder aufsaß und gebückt durch das Tor ritt. Wie Dulac gehofft hatte, machte sich Artus nicht die Mühe, das Tor hinter sich wieder zu schließen, aber er gab seinem Pferd die Sporen, kaum dass er außerhalb der Stadtmauer war. Noch bevor er selbst das Tor erreichte, war Artus schon gute fünfzig Schritte entfernt und sprengte auf ein nahe gelegenes Waldstück zu.

Erst nach einem Augenblick wurde Dulac klar, dass es nicht *irgendein* Waldstück war. Es war der kleine Hain, in dem er zum ersten Mal auf das Einhorn gestoßen war. Das konnte unmöglich ein Zufall sein. Dulac trat durch das Tor und lief los.

Natürlich hatte er keine Chance, Artus einzuholen. Der König hatte den Waldrand erreicht und zügelte sein Pferd, noch bevor Dulac auch nur ein Zehntel der Strecke hinter sich gebracht hatte. Ohne sich nur einmal umzudrehen band Artus sein Pferd hastig am Waldrand fest und verschwand dann mit schnellen Schritten zwischen den Bäumen. Da es auf dem Weg aus der Stadt und dem Waldrand ohnehin so gut wie keine Deckung gab, ließ er alle Vorsicht fallen und rannte einfach los. Ziemlich erschöpft, aber unbehelligt erreichte er den

Waldrand und blieb einen Moment stehen um zu lauschen, aber auch um wieder zu Atem zu kommen. Artus' Pferd, das nur wenige Schritte entfernt angebunden war, drehte den Kopf in seine Richtung und schnaubte unruhig, aber das war auch der einzige Laut, den er hörte. Wenn Artus in der Nähe war, dann verhielt er sich vollkommen still.

Dulac blieb noch ein paar Momente stehen. Er hatte keinen Grund, Artus zu folgen, und vor allem hatte er nicht das mindeste *Recht*, es zu tun. Artus würde nicht besonders erfreut sein, wenn er ihn entdeckte – er würde es wohl eher als *spionieren* bezeichnen, falls ihm nicht noch ein schlimmeres Wort einfiel. Und es erschien Dulac im Moment nicht besonders ratsam, Artus noch misstrauischer zu machen, als er es vermutlich sowieso schon war.

Trotz dieser durchaus berechtigten Bedenken ging Dulac dann doch weiter. Er war noch nicht sehr weit gekommen, als er vor sich Geräusche hörte. Er blieb stehen, lauschte und wich dann ein wenig von Artus' direkter Spur ab. Er bemühte sich möglichst leise zu sein, wodurch er natürlich noch langsamer vorwärts kam. Trotzdem wurden die Geräusche vor ihm lauter. Artus entfernte sich nicht weiter von ihm.

Es vergingen nur noch wenige Augenblicke, bis er die schwarze Silhouette des Königs vor sich sah. Artus hatte eine kleine Lichtung in der Mitte des Haines erreicht, aber er stand nicht still, sondern bewegte sich unruhig hin und her. Er wirkte sehr nervös. Offensichtlich wartete er auf jemanden und er sah diesem Treffen nicht unbedingt mit Freude entgegen.

Aber warum hier, nachts, so weit weg von Camelot und in aller Heimlichkeit? Wen gab es, den Artus nicht in seinem Thronsaal auf Camelot empfangen konnte?
Dulac dachte eine Weile angestrengt über diese Frage nach, aber er kam zu keinem Ergebnis. Selbst Mordred hätte freies Geleit nach Camelot gehabt, hätte Artus sich mit ihm treffen wollen. Es gab nur einen Weg, es herauszufinden – er musste sich verstecken und abwarten.
Das Verstecken war kein Problem. Artus' Blick irrte zwar unentwegt über den Waldrand und schien jeden noch so schmalen Schatten abzutasten, aber er wartete auf jemanden, der sich zeigen würde, und suchte nicht nach einem Lauscher.
Die Zeit verging – eine Stunde oder mehr –, eine Ewigkeit, wenn man reglos im Schutz eines Busches hockte und nichts anderes zu tun hatte als still zu sein und abzuwarten. Der Horizont begann sich bereits heller zu färben und aus der fast vollkommenen Dunkelheit, die selbst auf der kleinen Lichtung herrschte, begann graues Zwielicht zu werden. Dulac war nahe daran, einfach aufzugeben und aus seinem Versteck herauszukommen und Artus anzusprechen, ganz gleich, was danach geschah, als Artus in seinem ruhelosen Hin und Her plötzlich innehielt und zu einer Stelle am jenseitigen Rand der Lichtung sah. Auch Dulac blickte konzentriert in diese Richtung, konnte aber im ersten Moment nichts Auffälliges erkennen.
Als die Gestalt aus dem Wald trat, geschah es auf eine durch und durch unheimliche Weise. Vielleicht lag es ganz einfach am Licht: Es war jener seltene Moment des Tages, in dem sich Dunkelheit und Licht genau die Waage hielten und es nur die Farbe Grau zu geben schien, und so sah er

nicht einmal genau, wie die Gestalt aus dem Wald trat. Vielmehr kam es ihm so vor, als ballten sich die Schatten zusammen, um einen verschwommenen Körper zu bilden; ein Schatten, der nicht mehr ganz Schemen, aber noch lange nicht Körper war.

Dennoch erkannte Dulac sie sofort.

Um ein Haar hätte er laut aufgeschrien.

Morgaine le Faye trug nicht mehr ihr schwarzes Kleid, sondern war ganz in Grau gekleidet, als trüge sie nicht wirklich ein Gewand, sondern hätte sich in die Farbe der Dämmerung gehüllt, die sie umgab. Selbst ihr Haar wirkte grau, nicht mehr schwarz, und als sie auf die Lichtung hinausging, war es ihm, als versuche der Nebel sie zurückzuhalten und zerre einen Moment lang mit aller Kraft an ihren Umrissen. Eigentlich trat sie nicht aus dem Wald, sondern *erschien*.

»Du kommst spät«, sagte Artus anstelle einer Begrüßung.

»Man könnte auch sagen, du warst zu früh«, antwortete Morgaine. Sie lachte leise, trat endgültig aus dem Wald heraus und gerann endlich zu einem Körper. Sie blieb knapp vor Artus stehen und sah sich in alle Richtungen um. »Du hast tatsächlich Wort gehalten und bist allein gekommen! Ich bin überrascht!«

»Das wundert mich nicht«, antwortete Artus kühl. »Verrat und Wortbruch sind ja deine eigentlichen Namen, nicht wahr?«

Dulac hatte Mühe, der Unterhaltung zu folgen. Morgaine? *Morgaine le Faye?* Zusammen mit Artus? *HIER?!*

Morgaine lachte, aber es klang ein wenig gezwungen. »Auf jeden Fall bist du da«, sagte sie.

»Das bin ich«, antwortete Artus zornig. »Also?«

»Also?« Hätte man Morgaines Gesichtsausdruck trauen dürfen, dann hätte man meinen können, sie wäre die Unschuld in Person.

»Du wolltest mich treffen«, sagte Artus. Dann noch einmal: »Also?«

»Du willst es also wirklich tun«, sagte Morgaine kopfschüttelnd. »Es fällt mir immer noch schwer, das zu glauben, Bruder.«

Bruder?

Dulac war im allerersten Moment nicht einmal sicher, ob er richtig gehört hatte. Bruder?

»Du sprichst von –«

»– von diesem dummen Kind, ganz genau«, fiel ihm Morgaine ins Wort. Von einer Sekunde auf die andere war ihre Stimme kalt, so kalt wie Eis und so schneidend wie Stahl. Wie hatte sie ihn genannt, dachte Dulac betäubt. *Bruder?* Aber das war unmöglich! Es konnte nicht sein; Von Uther – und vor allem Dagda! – hatte er erfahren, dass Mordred Artus' Sohn war, und schon diese Tatsache erschien ihm in Anbetracht der Umstände unglaublich genug. Und er wusste, dass Morgaine le Faye Mordreds Mutter war.

Es konnte nicht sein. Es war ... vollkommen ausgeschlossen, dass Morgaine zugleich Mordreds *Mutter* wie Artus' *Schwester* war! Es durfte nicht sein. Wie sollte er jemals wieder Respekt vor einem König haben, der einen Sohn mit seiner eigenen Schwester gezeugt hatte?!

»Ihr Name ist Gwinneth«, sagte Artus. »Nur falls du es vergessen haben solltest.«

»Das habe ich nicht«, antwortete Morgaine. »Ich verstehe bloß nicht, was du dir davon versprichst, Artus. Glaubst

du wirklich, du könntest den Verlauf des Schicksals ändern, weil du dieses ... dieses *Kind* heiratest?«
Dulacs Herz erstarrte zu einem Klumpen aus Eis in seiner Brust. Sie sprachen über Gwinneth. *Seine* Gwinneth!
»Dieses Kind ist zufällig die Frau, die ich liebe«, sagte Artus.
Morgaines Antwort bestand aus einem abfälligen Lachen. »Die einzige Frau«, sagte sie betont, »die du in deinem ganzen Leben geliebt hast und jemals wirklich lieben wirst, Artus, bin ich.«
»Was willst du?«, fragte Artus.
Morgaine bedachte ihn mit einem perfekt geschauspielerten, verwirrten Augenaufschlag. »Was ich will? Aber *du* hast mich doch um dieses Zusammentreffen gebeten.«
Es fiel Dulac immer schwerer, ruhig zu bleiben. In seinem Kopf überschlugen sich die Gedanken. *Artus* traf sich mit *Morgaine*?
»Du weißt verdammt noch mal ganz genau, was ich will.« Artus schrie fast. Seine Stimme zitterte vor Spannung, die Dulac in seinem Versteck regelrecht spüren konnte.
»Ja, vielleicht weiß ich, was du willst«, antwortete Morgaine. »Aber weißt du es auch?« Sie hob gebieterisch die Hand, als Artus etwas erwidern wollte. »Du bist ein Narr, Artus. Ein romantischer, dummer Narr. Glaubst du denn wirklich, du könntest die Welt retten, indem du ein Kind ehelichst?« Sie machte eine herrische Geste, mit der sie Artus das Wort abschnitt, bevor er antworten konnte. »Sei ausnahmsweise einmal ganz ehrlich, Bruder: liebst du sie?«
Dulac starrte Artus aus seinem Versteck heraus an. Ein glühender Dolch senkte sich in sein Herz und der Schmerz

wurde schlimmer mit jeder Sekunde, die Artus mit seiner Antwort zögerte. Als er endlich antwortete, schien sich irgendetwas in ihm vor Entsetzen zu krümmen.

»Liebe«, sagte Artus. »Ein großes Wort, Morgaine. Was ist schon Liebe? Etwas für romantische Narren.« Er lachte bitter. »Eine Krankheit, wenn du mich fragst. Eine sehr angenehme Krankheit, aber dennoch nichts anderes. Ein Fieber, das den Geist befällt.«

»Ich nehme nicht an, dass das die Brautrede ist, die du der liebreizenden Gwinneth nächste Woche halten willst«, sagte Morgaine spöttisch.

Nächste Woche? Dulac schrak innerlich zusammen. Die Hochzeit war schon auf die nächste Woche angesetzt worden?

Artus überging die Frage. Seine Stimme wurde kälter, als er weitersprach. »Ich habe dich um dieses Treffen gebeten, weil das Töten ein Ende haben muss, Morgaine«, sagte er. »Befiehl Mordred, dass er aufhört.«

Morgaine lachte. »Aber warum sollte ich das tun, Bruder?«

»Er kann nicht gewinnen, Morgaine«, antwortete Artus. »Du weißt das und ich weiß das. Und es wird Zeit, dass auch Mordred es begreift.«

»Ich fürchte, er würde nicht auf mich hören, Artus, selbst wenn ich versuchen würde ihn zurückzuhalten«, seufzte Morgaine. »Er ist ein richtiger Starrkopf, weißt du? Ein Charakterzug, den er von seinem Vater hat, fürchte ich.« Sie hob die Schultern. »Außerdem – warum machst du dir Sorgen, wenn du doch so sicher bist, nicht verlieren zu können?«

»Weil es sinnlos ist!«, begehrte Artus auf. »Ich bitte dich,

Morgaine! Ich flehe dich an, bring Mordred zur Vernunft! Willst du denn wirklich, dass dieses Land in einem Meer von Blut ertrinkt? Mordreds Pikten können niemals gegen uns bestehen!«

»Dann hast du ja nichts zu befürchten«, sagte Morgaine kühl. »Auf der anderen Seite ...« Sie breitete die Hände aus. »Wenn du so sehr um das Wohl deiner Untertanen besorgt bist ... du weißt, was ich will. Gib meinem Sohn, was ihm zusteht, und du kannst den Krieg verhindern.«

»Die Macht über Camelot?« Artus schüttelte heftig den Kopf, aber Morgaine unterbrach ihn mit einer heftigen Geste, bevor er weiterreden konnte.

»Den Platz, der ihm zusteht!«, zischte sie. »Was willst du? Es sind deine eigenen Gesetze! Die Gesetze deiner Menschenfreunde, an denen dir ja so viel liegt! Er ist dein Sohn, Artus. Der Sohn des Königs. Der Prinz von Camelot. Der Platz an deiner Seite steht ihm zu nach deinen eigenen Gesetzen.«

»Unmöglich«, antwortete Artus. »Die Menschen in Camelot vertrauen mir. Ich soll sie der Terrorherrschaft dieses ... dieses *Wahnsinnigen* ausliefern?«

»Immerhin würden sie leben«, antwortete Morgaine kalt.

»Du willst es also«, sagte Artus traurig. »All diese unschuldigen Menschen, Morgaine. Hunderte werden sterben. Vielleicht Tausende. Hasst du mich wirklich so sehr?«

»Hassen?« Morgaine schien einen Moment über dieses Wort nachzudenken. Dann zuckte sie mit den Achseln.

»Du überschätzt dich, Bruder«, sagte sie. »Aber das war ja schon immer dein größter Fehler. Ich hasse dich nicht. Du bist mir vollkommen gleichgültig. Ich will für meinen Sohn, was ihm zusteht, nicht mehr und nicht weniger.«

»Was ihm zusteht ...« Artus schüttelte den Kopf. »Was willst du wirklich, Morgaine? Ist dein Rachedurst erst befriedigt, wenn Mordred und ich uns auf dem Schlachtfeld gegenüberstehen? Hasst du mich so sehr, dass du zusehen willst, wie ich ihn töte? Oder er mich?«

»Du bist ein Narr, Artus«, sagte Morgaine abfällig. »Ein Dummkopf und ein Narr. Du hast nichts verstanden. Gar nichts.«

»Ich verstehe, dass es wohl sinnlos ist, an deine Vernunft appellieren zu wollen oder an dein Gewissen«, sagte Artus traurig. »Ich bitte dich noch einmal, Morgaine: Dies ist eine Sache zwischen dir und mir! Willst du wirklich ein ganzes Land ins Verderben stürzen, um dich an mir zu rächen?«

»Es liegt ganz allein bei dir, ob es zum Krieg kommt oder nicht, Artus«, antwortete Morgaine kalt. Plötzlich lachte sie. »Aber um unserer alten Freundschaft willen werde ich großzügig sein. Ich gebe dir eine Woche Bedenkzeit. Oder einen Monat, ein Jahr ... solange du willst.«

Artus' Augen wurden schmal. »Wie meinst du das?«

»Was geschehen wird, liegt ganz bei dir, Artus«, antwortete Morgaine. »Mordred wird nicht angreifen, solange du darauf verzichtest, dieses Kind zu heiraten. Du willst, dass sie dir einen Erben schenkt, aber das kann ich nicht zulassen. Du hast bereits einen Sohn. Ich werde nicht zusehen, wie du ihn um das bringst, was ihm zusteht.« Sie trat noch näher an ihn heran. »Verzichte auf diese Ehe und ich werde sehen, was ich tun kann. Heirate sie und ich verspreche dir, dass Mordred und ich dir ein ganz besonderes Hochzeitsgeschenk machen werden.«

Artus fuhr zusammen. Seine Hand verschwand unter dem Mantel.

»Nur zu«, sagte Morgaine. Sie machte eine auffordernde Handbewegung. »Worauf wartest du? Zieh dein Schwert und töte mich. Das würde dir eine Menge Sorgen abnehmen. Tu es. Ich werde mich nicht wehren.«
Artus begann zu zittern. Dulac konnte sein Gesicht aus seinem Versteck heraus nicht erkennen, aber er spürte, dass Artus für einen Moment nahe daran war, tatsächlich zu tun, was Morgaine ihm vorgeschlagen hatte.
Aber er zog sein Schwert nicht. Stattdessen starrte er Morgaine eine Sekunde lang an, dann fuhr er mit einem Ruck herum und stürmte davon.
Dulac duckte sich tiefer hinter den Busch, hinter dem er Deckung gesucht hatte. Dennoch hätte Artus ihn zweifellos gesehen, wäre er nicht viel zu aufgeregt gewesen, um auf seine Umgebung zu achten. Artus rannte so dicht an ihm vorbei, dass er ihm beinahe auf die Finger getreten wäre.

Erst eine geraume Zeit nach Artus und noch länger nach Tander erreichte er die Burg. Dulac war von dem, was er gesehen und gehört hatte, so aufgewühlt, dass er das Donnerwetter, das Tander wegen seines Zuspätkommens über ihm entfesselte, kaum zur Kenntnis nahm. Tander packte ihn sogar einmal grob bei der Schulter und hob die Hand um ihn zu schlagen, ließ den Arm aber dann wieder sinken; vielleicht war auch ihm klar geworden, dass Dulac es wahrscheinlich gar nicht gespürt hätte. So versetzte er ihm nur einen derben Stoß und überschüttete ihn mit einem neuerlichen Schwall von Beschimpfungen und Flüchen.
Seit Dulac den Wald verlassen hatte, kam er sich vor wie in einem bösen Traum, einem von jener ganz besonders un-

angenehmen Art, in der man weiß, dass man träumt, ohne dass dieses Wissen der apokalyptischen Szenerie auch nur einen Deut von ihrem Schrecken nehmen konnte. Er hatte Dinge von solcher Ungeheuerlichkeit gehört, dass sich ein Teil von ihm immer noch weigerte, sie zu glauben. Die Arbeiten, die Tander ihm auftrug, verrichtete er ohne überhaupt zu merken, was er tat.

Die Glocken der kleine Kapelle läuteten zum Mittagsgebet, als Evan zu ihm kam. Dulac kniete auf dem Boden und schrubbte ihn mit einer groben Wurzelbürste und seine Finger hatten von der ungewohnten Arbeit bereits zu bluten begonnen. Außerdem schmerzten seine Rücken- und Nackenmuskeln so sehr, dass er sich kaum noch bewegen zu können glaubte.

»Du sollst dich waschen«, raunzte Evan ihn an. »Und beeil dich gefälligst.«

»Waschen?« Dulac blickte auf seine Hände hinab. Unter seinen Fingernägeln sickerte ein wenig Blut hervor, aber seine Haut war von der stundenlangen Arbeit im Wasser rubbelig und weich und seine Finger waren so sauber, wie es nur ging. »Wozu?«

Evan schob die Hände in die Hosentaschen, zuckte mit den Schultern und kam in gemächlichem Schlendergang näher. »Woher soll ich das wissen?«, fragte er. »Vielleicht will Tander nicht, dass du dem König so schmutzig unter die Augen trittst. Obwohl ich nicht glaube, dass er es überhaupt merken würde. Er ist heute noch später zu Bett gegangen. Nach Sonnenaufgang, heißt es.«

Es lag Dulac auf der Zunge, Evan in scharfem Ton zu fragen, was es ihn anginge, wann der König zu Bett ging, aber er schluckte die Bemerkung hinunter. Er hatte wahrlich anderes im Kopf als sich mit Evan zu streiten. Mit einem angedeuteten Heben der Schultern ließ er die Bürste in den Eimer fallen, stützte die flachen Hände auf die Oberschenkel auf und stemmte sich mit einiger Mühe in die Höhe. Evan sah ihm stirnrunzelnd dabei zu, zuckte bedauernd mit den Schultern und stieß den Wassereimer dann mit dem Fuß um.

»Hoppla«, grinste er. »Das tut mir aber jetzt Leid. Tander wird das gar nicht gefallen, fürchte ich. Aber du kannst es ja später wegwischen.«

Dulac hätte wütend werden müssen, aber er wurde es nicht. Er blickte nur auf die rasch größer werdende Pfütze aus schmutzigem Wasser hinab, die sich auf den Steinfliesen ausbreitete, die er gerade so mühsam geschrubbt hatte. Dann sah er zu Evan auf und fragte: »Warum hast du das getan?«

»Getan? Aber das war doch keine Absicht«, beteuerte Evan, ohne dass das unverschämte Grinsen dabei aus seinem Gesicht wich.

Dulac schüttelte den Kopf und wollte einfach an Evan vorbeigehen, aber der Junge vertrat ihm mit einem raschen Schritt den Weg. »Aber mal angenommen, es wäre Absicht gewesen, was würdest du dann tun? Mich wieder schlagen? Mir die Nase brechen oder ein paar Rippen? Oder mir das halbe Bein abreißen, wie es dein Köter mit meinem Hund gemacht hat?«

»Mein Köter? Wolf?« Dulac erinnerte sich erst jetzt wieder an das Geschehen vom frühen Morgen. Nachdem er das Gespräch zwischen Artus und Morgaine belauscht hatte, hatte er die Balgerei der Hunde vollkommen vergessen.

»Ja, dein verdammter Köter!«, bestätigte Evan. Das Grinsen war aus seinem Gesicht verschwunden. Seine Augen blitzten vor Hass. »Sparky hat er die Kehle durchgebissen und Buster und Holly sind mehr tot als lebendig! Du hast dieses verdammte Vieh verhext!«

»Du bist ja verrückt«, sagte Dulac verwirrt. Erneut versuchte er an Evan vorbeizugehen und wieder vertrat ihm der Junge den Weg.

»Was soll das?«, fragte Dulac. »Lass mich durch!«

»Irgendwas stimmt doch mit dir nicht!«, behauptete Evan. »Erst verprügelst du uns alle drei und dann zerreißt dein Mistköter unsere Hunde. Das ist Hexerei! Du hast dich mit dem Teufel eingelassen, habe ich Recht?«

»Wenn es wirklich so wäre«, antwortete Dulac, »dann wäre es ziemlich tollkühn von dir, so mit mir zu reden.«

Evan lachte, aber es wirkte nicht ganz echt. In seinen Augen flackerte es vor Angst, die er nur noch mit Mühe beherrschte. »Treib es nicht zu weit«, sagte er. »Du stehst vielleicht unter Artus' Schutz, aber du solltest dich besser nicht zu sicher fühlen.«

»Wer sagt, dass ich das tue?« Dulac hob den Arm und schob Evan kurzerhand zur Seite. Einen Moment lang schien es, als wolle Evan Widerstand leisten, und Dulac fragte sich bereits, was er tun sollte, wenn Evan den Weg nicht freiwillig freigab. Aber dann konnte er spüren, wie Evans Widerstand brach und die Furcht die Oberhand gewann. Hastig trat er zur Seite und Dulac ging an ihm vorbei und lief mit raschen Schritten die Treppe hinauf.

Er war erleichtert, dass Evan letzten Endes doch nachgegeben hatte. Dulac hatte keine Angst vor ihm. Er wusste, dass er Evan jederzeit gewachsen war, aber er hätte es zutiefst bedauert, wenn er gezwungen gewesen wäre, sich mit ihm zu schlagen. Er wollte nicht mehr kämpfen, nicht einmal gegen ihn. Er hatte so viele Kämpfe miterlebt und hinter sich gebracht, dass er endgültig begriffen hatte, dass es in einem Kampf niemals einen wirklichen Sieger gab, sondern nur Verlierer. Vermutlich hätte er Evan nicht einmal schlagen müssen um ihn zu vertreiben. Aber er wollte keine Angst mehr verbreiten.

Er verließ den Keller, wandte sich nach rechts und eilte die Stufen zum Haupthaus empor. Ohne innezuhalten durchquerte er die Halle, lief nach oben und betrat den Thronsaal. Er hätte angeklopft, aber es war nicht nötig: Die Tür stand offen und Artus war allein in dem großen Raum. Er saß nicht an seinem angestammten Platz an der Tafel, sondern auf dem wuchtigen Stuhl vor dem Kamin. Obwohl es sehr warm war, hatte er ein Feuer entzündet und sich in denselben schwarzen Mantel gewickelt, den er auch am Morgen getragen hatte, und Dulac musste nur einen einzigen Blick in sein Gesicht werfen um zu erkennen, dass Evan sich geirrt hatte. Artus war nicht nach Sonnenaufgang, sondern noch gar nicht schlafen gegangen. Er sah sehr müde aus und das auf eine Art, die sich nicht auf rein körperliche Erschöpfung beschränkte.

Als Dulac hereinkam, schrak Artus leicht zusammen und sah ihn einen Moment lang an, als wüsste er gar nicht, wer vor ihm stand. Dann erschien ein mattes Lächeln auf seinem Gesicht. »Ah, Dulac«, sagte er.

»Mylord.« Dulac deutete ein Kopfnicken an. Einige Sekunden herrschte Stille. Als Artus keine Anstalten machte, von sich aus weiterzusprechen, fuhr er fort: »Ihr habt mich rufen lassen?«

»Ja, das habe ich.« Artus hob die Hand und winkte Dulac näher zu kommen. Die Bewegung wirkte matt, fast wie die eines uralten Mannes, dem es schon Mühe bereitete, auch nur die Hand zu heben, und zum allerersten Mal fragte sich Dulac, wie alt Artus eigentlich war. Niemand wusste es genau und niemand hatte diese Frage je gestellt. Sein Gesicht war das eines Mannes irgendwo in jenem schwer zu schätzenden Alter zwischen vierzig und fünfzig. Er trug das Haar etwas länger, als es die derzeitige Mode vorschrieb, was ihn möglicherweise jünger erscheinen ließ, als er war, und der Großteil der schmalen Falten, die seine Augen einrahmten, kamen vom Lachen. Aber es war lange her, dass er Artus das letzte Mal hatte lachen sehen.
Artus sprach auch jetzt nicht weiter und so ergriff Dulac wieder das Wort. »Wenn es um Tander geht, Herr – ich weiß jetzt, dass er Euch bestohlen hat. Und auch, wo er seine Beute versteckt hat. Er will sie heute Abend –«
»Das ist jetzt nicht so wichtig.« Artus unterbrach ihn mit einer Geste und setzte sich gerade auf, aber er wirkte immer noch müde. »Ich habe eine Arbeit für dich. Konntest du dich ein wenig erholen?«
»Ja«, log Dulac.
»Gut«, sagte Artus. »Ich möchte, dass du deine alte Tätigkeit wieder aufnimmst.«
»Meine alte Arbeit?«, fragte Dulac überrascht. »Davon wird Tander nicht erbaut sein.« Innerlich jubilierte er allerdings. Artus' Worte bedeuteten nicht mehr und nicht weniger, als dass er einen großen Teil seiner Zeit in Artus' unmittelbarer Nähe verbringen würde – und damit natürlich auch in Gwinneths.
»Hast du Angst vor ihm?«, fragte Artus.

Dulac zuckte nur mit den Schultern, was Artus aber als Antwort vollkommen zu genügen schien, denn er runzelte verärgert die Stirn. »Du wirst mich sofort unterrichten, wenn er irgendetwas tut, was dich bei deiner Arbeit behindert«, sagte er. »Und du wirst mich ebenso unterrichten, wenn er dich prügelt.«

Er sprach nicht weiter, sondern runzelte plötzlich die Stirn und starrte mit nachdenklichem Gesicht einen Punkt irgendwo hinter Dulac an. Verwirrt drehte Dulac sich halb herum, um in dieselbe Richtung zu sehen, konnte aber nichts Außergewöhnliches entdecken. Hinter ihm befand sich die große Tafel mit ihren fast sechzig Stühlen, mehr nicht. Erst dann fiel ihm auf, dass er unmittelbar neben dem Stuhl stand, auf dem Artus normalerweise Platz nahm. Oder anders ausgedrückt: direkt *hinter* dem Stuhl, den Artus dem Silbernen Ritter angeboten hatte.

Aber das war sicher nur ein Zufall.

Artus räusperte sich, um Dulacs Aufmerksamkeit wieder auf sich zu ziehen, und fuhr fort: »Ich habe für heute Abend eine Versammlung aller Ritter einberufen, um etwas Wichtiges zu verkünden. Ich möchte, dass du uns Speis und Trank servierst, wie du es früher getan hast. Ich weiß, dass es viel Arbeit für einen allein ist, aber ich traue Tander nicht. Und auch nicht diesem Jungen, den er als Gehilfen eingestellt hat.«

Und damit hast du nur zu Recht, dachte Dulac. Vielleicht war jetzt der Moment gekommen, Artus zu sagen, was er wirklich über Evan wusste, aber er zögerte. Wenn er Artus von Evans Verrat unterrichtete, kam das dem Todesurteil für Evan gleich.

»Ich schaffe das schon, Herr«, versicherte er.

»Das ist gut«, antwortete Artus. Nichts anderes schien er erwartet zu haben. »Was ich meinen Rittern zu sagen habe, ist nur für ihre Ohren bestimmt. Jetzt geh und sage meinem diebischen Küchenmeister, dass ich dich für den Rest des Tages von allen Arbeiten befreit habe, damit du heute Abend ausgeruht und bei Kräften bist. Ich erwarte dich in einer halben Stunde vor der Tür zur Schatzkammer.«
»Der ... Schatzkammer?«
Artus lächelte knapp. »Da ist noch etwas, was ich von dir will, Junge«, sagte er. »Doch nun geh. Ich muss über Verschiedenes nachdenken. Sei pünktlich. Und achte darauf, dass dich niemand sieht.«

Dulac verzichtete darauf, Tander von Artus' Befehl in Kenntnis zu setzen, weil das nur wieder zu endlosen Diskussionen und Zornesausbrüchen geführt hätte. Darüber hinaus vermutete er zu Recht, dass Tander im Moment ganz froh war, ihn nicht zu sehen.
Er machte sich überpünktlich auf den Weg zur Schatzkammer, die sich im Kellergeschoss des Turmes befand und nur aus einem winzigen Raum bestand, der kaum groß genug war, um sich bequem darin umdrehen zu können. Dulac war nicht das erste Mal hier. Umso erstaunter war er, als er das massive Schloss sah, das vor der Tür aus schweren Eichenbohlen hing.
Beides war neu. Als er das letzte Mal hier gewesen war – was mindestens ein halbes Jahr her sein musste, wenn nicht länger, hatte die Tür aus morschen Brettern bestanden und das Schloss hatte diesen Namen nicht einmal verdient. Jetzt war beides neu und beides äußerst massiv. Er war ziemlich verwirrt. Es war kein Zufall, dass Artus'

Schatzkammer so schlecht gesichert war. Niemand musste in Camelot Angst vor Dieben haben und darüber hinaus war die Schatzkammer ohnehin meistens so gut wie leer; Camelot hatte nie über große Schätze verfügt und wozu auch?

Dulac wartete bis zu der verabredeten Zeit, eine weitere Viertelstunde und dann noch eine. Artus erschien nicht und Dulac begann sich zu wundern, dann zu sorgen, denn Artus war normalerweise ein sehr zuverlässiger Mann, der eher zu früh kam als zu spät. Er überlegte, ob er hinaufgehen und nach ihm suchen sollte, besann sich dann aber im letzten Moment darauf, wer er war; nämlich ein einfacher Küchenjunge und Artus der König. Er konnte ihn den ganzen Tag hier unten warten lassen, wenn er es wollte, und es stand ihm nicht zu, nach dem Warum zu fragen.

Er wartete eine weitere halbe Stunde, dann gab er auf und ging die Treppe wieder nach oben.

Auf halbem Weg kam ihm Gwinneth entgegen.

Dulac war so überrascht, dass er mitten im Schritt innehielt – und auch ein wenig erschrocken. Es war ihm bisher gelungen, jeden Gedanken an Gwinneth, der mehr als oberflächlich gewesen wäre, von sich fern zu halten, aber nun, als sie ihm entgegenkam und er in ihr Gesicht blickte, war das nicht mehr möglich.

Sein Herz begann zu klopfen. Obwohl er mitten im Schritt buchstäblich zur Salzsäule erstarrt war, hatte er trotzdem das Gefühl, innerlich zu zittern, und seine Handflächen fühlten sich feucht und kalt an. So absurd ihm der Gedanke im ersten Moment auch selbst vorkam – Tatsache war, dass er Angst vor dem Moment hatte, in dem er allein mit ihr war.

Dulac hatte zwar das Gefühl, dass nicht nur sein Körper, sondern auch sein Gesicht zu Stein erstarrt wäre, aber so ganz schien das nicht zu stimmen; Gwinneth jedenfalls verharrte ebenfalls mitten im Schritt, als sie noch zwei oder drei Stufen über ihm stand, und in das freundliche Lächeln auf ihrem Gesicht mischte sich ein Ausdruck leiser Verwunderung. Sie legte den Kopf auf die Seite, um ihn nachdenklich zu betrachten.

»Was ist los mit dir?«, fragte sie schließlich, anstelle sich mit einer formellen Begrüßung oder auch nur mit einem »Hallo« aufzuhalten. »Du siehst aus, als hättest du ein Gespenst gesehen. Bin ich über Nacht hässlich geworden?«

»Nein!«, versicherte Dulac hastig. »Ganz im Gegenteil, Mylady! Entschuldigt! Ihr ... Ihr seid schöner denn je!«

»Ich verstehe.« Zwischen Gwinneths Augenbrauen entstand eine schmale Falte. »Bis gestern war ich hässlich.«

»Nein, das ... das habe ich nicht ...« Dulac geriet endgültig ins Stottern, brach verwirrt ab und fühlte sich durch und durch hilflos. Ihm war klar, dass Gwinneth ihn foppen wollte, aber ihm war wahrlich nicht nach Scherzen zumute. Er wäre am liebsten im Boden versunken, wenn auch aus ganz anderen Gründen, als Gwinneth annehmen mochte.

Als sie begriff, dass sie keine Antwort bekommen würde, kam Gwinneth zwei weitere Stufen die Treppe hinunter und nickte gewichtig. »Ich verstehe«, sagte sie. »Du hast jemand anderen erwartet.«

»Ja, Mylady«, antwortete Dulac mit gesenktem Blick. »Den ... den König.«

»Gwinneth«, erinnerte Gwinneth sanft. »Wir waren schon bei Gwinneth, wenn ich mich nicht irre.«

»Wie Ihr befehlt, My...«, begann Dulac, fuhr fast unmerklich zusammen und verbesserte sich dann hastig: »Gwinneth.«
»Nein, ich befehle gar nichts«, seufzte Gwinneth. »Ich würde mich freuen, wenn du es tätest.«
»Wenn es Euer Wunsch ist.«
Gwinneth seufzte noch tiefer. »Das war eigentlich auch nicht unbedingt das, was ich gemeint habe«, sagte sie in resignierendem Tonfall. »Aber gut. Artus hat mich geschickt. Er lässt dir ausrichten, dass er nicht kommen kann. Du sollst nicht länger auf ihn warten, sondern schon einmal mit den Vorbereitungen für heute Abend beginnen ... was immer du auch vorzubereiten hast.«
Dulac ignorierte die Frage, die sich hinter diesem Satz verbarg, und nickte nur stumm. Er wollte nicht mit Gwinneth reden. Er *durfte* es nicht. Irgendetwas sagte ihm, dass es ein schrecklicher Fehler wäre, sein Schweigen zu brechen. Wenn er einmal anfing zu reden, dann würde er sich möglicherweise nicht mehr beherrschen können und etwas sehr Dummes sagen, zumindest aber etwas, das er im nächsten Augenblick zutiefst bedauern würde.
»Hast du deine Zunge verschluckt?«, erkundigte sich Gwinneth.
»Nein, Mylady«, antwortete Dulac. »Verzeiht.«
»Gwinneth.« Gwinneth drohte ihm spielerisch mit dem erhobenen Finger. »Wenn du mich noch einmal *Mylady* nennst, lasse ich dich auspeitschen.«
Dulac sah erschrocken hoch und für einen Moment sah auch Gwinneth regelrecht erschrocken drein, als wäre ihr das, was sie sagte, erst in diesem Moment selbst klar geworden.

Dann rettete sie sich in ein leicht verlegenes Lächeln. »Das war nur ein Scherz«, sagte sie.
Natürlich war es das. Dulac hatte ihre Worte nicht für den Bruchteil eines Augenblicks ernst genommen. Und dennoch ... sie taten weh.
»Es tut mir Leid«, sagte Gwinneth, nachdem einige weitere Sekunden in unbehaglichem Schweigen verstrichen waren. »Ich wollte dich nicht verletzen.«
»Das habt Ihr auch nicht«, versicherte Dulac hastig. »Wirklich nicht.« Das war eine Lüge. Er wusste selbst nicht, warum, aber ihre Worte hatten ihn verletzt.
Gwinneth machte eine Bewegung, wie um die Hand zu heben und seine Wange zu berühren, ließ den Arm aber dann wieder sinken. Sie wirkte ein bisschen traurig. Dulac nahm all seinen Willen zusammen, um ihr ins Gesicht zu blicken und ihrem Blick standzuhalten, aber es war gar nicht sie, die er in diesem Moment sah. Er sah Artus und Morgaine und er glaubte noch einmal das Gespräch zwischen den beiden zu hören, das er am frühen Morgen belauscht hatte. Sein Herz zog sich zu etwas zusammen, das wie ein kalter Stein in seiner Brust ruhte. Er war nicht sicher, ob es wirklich noch schlug.
»Was ist los mit dir?«, fragte Gwinneth geradeheraus.
»Nichts«, antwortete Dulac. »Wirklich, ich –«
»Lüg mich nicht an«, unterbrach ihn Gwinneth. Vielleicht eine halbe Sekunde zu spät fügte sie hinzu: »Bitte.«
»Ich lüge nicht«, versicherte Dulac. »Es ist nur ...«
»Ja?«
»Artus«, sagte Dulac. »Du solltest ihn nicht heiraten.«
Jetzt war es heraus. Dulac krümmte sich innerlich vor Entsetzen, denn ihm war klar, dass er mit diesem halben Dut-

zend Worten vielleicht alles zerstört hatte. Zugleich jedoch fühlte er sich unendlich erleichtert.
Zu seiner Überraschung reagierte Gwinneth jedoch nicht zornig oder auch nur überrascht, was das Mindeste gewesen wäre angesichts dieser Ungeheuerlichkeit. Lange – Minuten, die sich zu einer Ewigkeit dehnten – sah sie ihn schweigend an und ihre Augen füllten sich mit einem Ausdruck von solchem Schmerz, dass sich Dulacs Herz noch weiter zusammenzog.
»Aber ich muss es, Dulac«, murmelte sie schließlich. In ihren Augen schimmerten Tränen.
»Wieso?«, begehrte Dulac auf. »Er kann dich nicht zwingen!«
Für einen Augenblick sah Gwinneth ihn nur verwirrt an. »Du ... du glaubst, dass er mich –?« Sie schüttelte den Kopf und sah für einen Moment einfach nur hilflos drein. Dann seufzte sie tief, ging rückwärts wieder eine Stufe hinauf, ließ sich auf den ausgetretenen Stein sinken und machte dann eine einladende Handbewegung neben sich.
Dulac zögerte der Aufforderung zu folgen. Die Selbstverständlichkeit ihrer Geste deutete eine Vertrautheit an, die er nicht mehr wollte. Es war ein Fehler gewesen, das Angebot der Freundschaft anzunehmen, das sie ihm gemacht hatte. Es war so ehrlich gemeint gewesen, wie es nur ging – aber er würde es nicht ertragen, einfach nur ihr Freund zu sein. Warum quälte sie ihn so? War denn da gar nichts in ihr, das über bloße Sympathie hinausging?
Nach ein paar Sekunden gehorchte er doch und setzte sich neben sie auf die Stufe; allerdings ein gutes Stück weiter weg, als sie erwartet zu haben schien. Gwinneth nahm es

mit einem bekümmerten Ausdruck zur Kenntnis, ging jedoch nicht weiter darauf ein.
»Es ist leider nicht so einfach, wie du glaubst, Dulac«, begann sie in leisem, traurigem Ton. »Artus hat mich nicht gezwungen, ihn zu heiraten. Er hat mich nicht einmal bedrängt. Ich könnte nein sagen, wenn ich das wollte.«
»Dann tu es!«, sagte Dulac impulsiv. Da war immer noch eine leise Stimme in ihm, die ihm zuflüsterte, dass er dabei war, sich um Kopf und Kragen zu reden, aber er ignorierte sie. Er hatte einmal angefangen und er würde jetzt weiterreden und ihr sagen, was er zu sagen hatte. Schon weil ihm klar war, dass er vermutlich nicht noch einmal den Mut haben würde, so offen mit ihr zu reden. »Du liebst ihn doch gar nicht!«
»Lieben?« Gwinneth lächelte traurig. »Wer weiß?«
»Ich!«, behauptete Dulac. »Man sieht es dir an.«
»Liebe ist ein großes Wort, Dulac.«
»Es ist das Wichtigste, was es im Leben gibt!«
Gwinneth nickte. »Ja, das ist es. Für dich, Dulac. Für alle deine Freunde, für die Menschen in der Stadt und überall im Land ... Und doch gibt es Wichtigeres. Camelot muss weiterleben.«
Das hatte sie schon einmal gesagt und er verstand es jetzt so wenig wie damals. Er fragte: »Indem du einen Mann heiratest, den du nicht liebst?«
»Ich wäre nicht die Erste, die so etwas tut«, antwortete Gwinneth. Sie sah sehr traurig drein. Er schien sie mit seinen Worten verletzt zu haben, aber er wusste nicht, wie. »Aber es ist nicht so einfach, wie du glaubst. Camelot ist ... nicht irgendeine Stadt, Dulac, so wie Artus nicht irgendein König ist. Camelot ist der Garant für Frieden in diesem

Land. Wenn Camelot fällt, dann würden die Zeiten der finsteren Barbarei wieder anbrechen. Es ist nicht nur Artus' Schwert, das den Menschen in diesem Teil des Landes Frieden und Freiheit garantiert, Dulac. Es ist Artus selbst.« Sie legte eine kurze Pause ein, als fiele es ihr schwer, weiterzureden. »Aber Artus ist nicht unsterblich, Dulac, so wenig wie du oder ich. Camelot braucht einen Erben. Irgendwann wird der Tag kommen, an dem Artus nicht mehr da ist, und dann muss jemand Camelots Thron besteigen. Jemand aus seinem Geschlecht.«

»Und du –«

»Ich bin die Einzige, die ihm einen Sohn schenken kann, der seines Blutes ist«, unterbrach ihn Gwinneth. »Ich verlange nicht, dass du das verstehst, Dulac. Es ist so. Glaube mir einfach.«

Dulac nahm all seinen Mut zusammen. »Aber ist denn da niemand, dem dein Herz gehört?«

Wieder dauerte es lange, bis Gwinneth antwortete, und erneut glaubte er Tränen in ihren Augen glitzern zu sehen. Ihre Stimme sank zu einem Flüstern herab. Sie drehte mit einem Ruck den Kopf zur Seite und starrte den ausgetretenen Stein zwischen ihren Füßen an.

»Nein«, sagte sie. »Es ... es gab jemanden. Für eine kurze Zeit dachte ich, da ... da wäre jemand.«

»Und was ist aus ihm geworden?« In Dulacs Kehle war plötzlich ein harter, bitterer Kloß. Wo sein Herz sein sollte, war nur eisige Leere.

»Er ist fort«, antwortete Gwinneth. »Er ist gegangen.«

»Lancelot.«

»Lancelot«, bestätigte Gwinneth. »Ein bisschen war er wie du, weißt du? Ich glaube, er ist fortgegangen, weil er ge-

wusst hat, dass er Camelot den Untergang bringt, wenn er bleibt.«
»Lancelot? Niemals! Er hätte sein Leben für Artus geopfert!«
Gwinneth sah ihn wieder an und ein trauriges Lächeln erschien auf ihrem Gesicht. »Du hast also auch von ihm gehört. Und du hast Recht. Er ist vielleicht der aufrechteste Mensch, dem ich je begegnet bin. Zu aufrecht, um mit der Lüge leben zu können, für die Artus und ich uns opfern müssen. Deshalb ist er gegangen. Weil auch er weiß, dass Camelot weiterleben muss.«
»Und wenn er zurückkäme?«
»Das wird er nicht«, antwortete Gwinneth seufzend. »Es vergeht kein Tag, an dem ich nicht darum bete, dass er zurückkommt, und doch flehe ich Gott an, dass es nicht geschieht. Es wäre unser aller Ende.«
»Er hat Artus versprochen, Euer Brautführer zu sein«, sagte Dulac.
Gwinneth sah ihn verwirrt an.
»Artus hat es mir erzählt«, sagte Dulac rasch. Er rief sich in Gedanken zur Ordnung. Er musste aufpassen, was er sagte.
»Dann scheinst du wirklich sein Vertrauen zu genießen«, sagte Gwinneth, aber zögernd und in einem Tonfall, der nicht sehr überzeugt klang. Dann schüttelte sie den Kopf. »Aber er wird nicht kommen.« Sie stand auf und straffte sich. Während auch Dulac hastig auf die Füße sprang, drehte sie sich herum, und als sie weitersprach, war in ihrer Stimme ein entschiedener Ton.
»Artus und ich sind die Letzten unserer Art und wir werden tun, was getan werden muss.«

Der Tag verging, ohne dass Dulac des Verstreichens der Zeit überhaupt gewahr wurde. Das Gespräch mit Gwinneth machte ihm so zu schaffen, dass er sich kaum auf die einfachsten Dinge zu konzentrieren vermochte und selbst bei den simpelsten Handgriffen immer wieder einen Fehler beging. Tander brüllte sich die Kehle wund und Dulac erinnerte sich düster, dass er ihn sogar geschlagen hatte ... als ob es noch irgendetwas gäbe, was ihm wehtun konnte!
Spät am Nachmittag deckte er zusammen mit Evan die große Tafel im Thronsaal. Artus hatte ihm zwar aufgetragen, es allein zu tun, aber die Bewirtung von mehr als fünfzig Gästen war eine Aufgabe, die von einem allein unmöglich zu bewältigen war. Selbst zu zweit schafften sie es gerade, die Gedecke aufzutragen, bevor draußen auf dem Gang die schweren Schritte eisenbeschlagener Stiefel laut wurden.
Es war Artus, der den Thronsaal als Erster betrat. Er trug Kettenhemd und Wappenrock und darüber einen dunkelroten Mantel, der mit goldenen Stickereien verziert war. Um seine Hüfte lag ein silberbeschlagener Gürtel, an dem eine ebenfalls mit Silber beschlagene Schwertscheide hing. Excaliburs reich verzierter Griff ragte daraus hervor.
Artus verhielt mitten im Schritt, als er Evan erblickte, und runzelte missbilligend die Stirn, aber dann ließ er seinen Blick über die riesige gedeckte Tafel schweifen und Dulac konnte in seinen Augen lesen, dass er die Unmöglichkeit seines Befehles einsah. Er nickte fast unmerklich in Dulacs Richtung und steuerte dann mit schnellen Schritten seinen angestammten Platz an der Tafel an. Während er sich setzte und die übrigen Ritter den Raum betraten, winkte er Dulac zu sich heran.

»Bring den Thronsessel«, befahl er halblaut. Er machte eine Geste zu seiner linken Seite. »Hier hin.«
Dulac war zwar verwirrt – war es nicht Artus' eigenes, unumstößliches Gesetz, dass es an der Tafel keinen besonderen Platz gab, sondern nur Gleiche unter Gleichen? –, wandte sich aber gehorsam um und ging zu dem wuchtigen Stuhl vor dem Kamin.
Seine Kräfte reichten nicht aus um ihn zu bewegen. Er mühte sich eine kurze Weile damit ab und sah dann in Evans Richtung, erntete aber nur einen schadenfrohen Blick.
»Worauf wartest du?«, herrschte Artus den Jungen an. »Hilf ihm!«
Evan fuhr zusammen, als hätte Artus ihn geschlagen, und rannte fast zu Dulac. Seine Augen glühten vor Hass.
Mit vereinten Kräften schleppten sie den schweren Stuhl zur Tafel und platzierten ihn links neben dem König. Links. Dulac hatte eine ziemlich konkrete Vorstellung, wer auf diesem Stuhl Platz nehmen sollte – aber warum links? Der Ehrenplatz neben dem König war eindeutig rechts.
Doch dieser Platz blieb leer. Während sie den Stuhl links von Artus auf den Boden stellten, betraten die Tafelritter nach und nach den Raum – *sämtliche* Tafelritter, wie Dulac fast erschrocken zur Kenntnis nahm – und setzten sich auf ihre Stühle, aber der Platz rechts neben Artus blieb frei.
Lancelots Platz.
Dulac wurde schmerzhaft bewusst, dass es sein Platz war, den Artus für einen Gast reservierte, der nicht kommen würde. Es gab keinen Ritter Lancelot mehr. Er selbst hatte

ihn getötet, indem er die silberne Rüstung an derselben Stelle im See versenkte, an dem er sie gefunden hatte. Artus hielt ihm diesen Platz frei. Der Platz eines Toten, der freigehalten und gedeckt wurde, obwohl jeder wusste, dass er nie wieder kommen würde.

Nachdem alle Tafelritter Platz genommen hatten, betrat Gwinneth als Letzte den Raum.

Ihr Anblick war beinahe mehr, als Dulac ertragen konnte. Sie trug ein dunkelblaues, mit zarten Goldstickereien verziertes, hochgeschlossenes Kleid und hatte ihr Haar mit einem goldenen Band nach hinten gefasst. Und sie war schöner als je zuvor.

Ihr Anblick traf Dulac wie ein glühender Pfeil. Sie sah ihn nur flüchtig an, aber ihr Blick tat weh.

Gwinneth ging mit gemessenen Schritten zu ihrem Stuhl und ließ sich darauf nieder. Jeder Zoll an ihr war eine Königin. Und sie wich seinem Blick aus. Nicht zufällig, sondern ganz bewusst. Dulac krümmte sich innerlich vor Pein.

Artus schenkte Gwinneth ein kurzes, aber sehr warmes Lächeln, dann wandte er sich zur Tür und klatschte leicht in die Hände und Dulac ...

erstarrte. Die Welt brach über ihm zusammen.

Gwinneth war nicht der letzte Gast.

Wenige Augenblicke, nachdem Artus in die Hände geklatscht hatte, betrat ein weiterer Gast den Thronsaal.

Mordred.

Irgendetwas in Dulac weigerte sich zu glauben, was er sah. Mordred, gekleidet in eine nachtschwarze, stachelbewehrte Rüstung und einen blutroten Umhang, der auf schreckliche Weise dem Artus' ähnelte – kam herein. Sein

Gesicht war wie eine Maske aus Stein, aber in seinem Blick war etwas, das ...

Dulac war nicht in der Lage, die Bewegung zu unterdrücken. Seine rechte Hand zuckte dorthin, wo sein Schwert gewesen wäre, wäre er in diesem Moment noch der Silberne Ritter. Aber dort war kein Schwert.

Er war nicht Lancelot. Er war nur Dulac, der Küchenjunge. Seine Hand bewegte sich – langsam und zitternd, wie gegen einen unsichtbaren Widerstand ankämpfend – zurück. Und von den annähernd sechzig Personen im Raum war Mordred der Einzige, der seine Bewegung bemerkte, und in seinen Augen blitzte es triumphierend auf. *Ich weiß, wer du bist*, sagte dieser Blick. *Du glaubst, du könntest mich aufhalten. Aber du kannst es nicht. Niemand kann das. Ich werde gewinnen. Ich habe bereits gewonnen. Keine Macht der Welt kann mich noch aufhalten!*

Vielleicht keine Macht dieser Welt, antwortete Dulacs Blick und Mordred las diese Antwort umgekehrt ebenso deutlich in seinen Augen, wie Dulac seine Botschaft empfangen hatte.

»Sir Mordred.« Artus erhob sich halb aus seinem Stuhl und ließ sich wieder zurücksinken, ohne die Bewegung mehr als zur Hälfte zu Ende geführt zu haben. Gwinneth deutete ein Kopfnicken an; eine Geste, die an Knappheit nur einen Deut von einer Beleidigung entfernt war.

»Sir Mordred«, fuhr Artus fort. »Camelot fühlt sich geehrt durch Euren Besuch.«

Mordred deutete ebenfalls ein Kopfnicken an; auch diese Bewegung in ihrer Knappheit fast eine Beleidigung. Dulac hätte nicht einmal sagen können, wen er länger fixierte.

»Ich habe zu danken, König Artus«, sagte er steif. »Nach allem, was geschehen ist, bedeutet Eure Einladung eine ganz besondere Ehre für mich.«
Er schien auf eine ganz bestimmte Antwort zu warten. Als Artus ihm diese schuldig blieb, steuerte er den (mit Ausnahme von dem Stuhl rechts neben Artus) einzig frei gebliebenen Platz an. Sein Blick glitt durch den Raum und taxierte die Gesichter der Ritter, blieb einen kurzen Moment auf dem Artus', einen etwas längeren auf dem Gwinneths und einen deutlich längeren auf dem Dulacs hängen. Dann hob er die Hand und deutete in seine Richtung.
»Der Junge da. Ich möchte, dass er geht.«
Artus drehte sich ein wenig schwerfällig in seinem Stuhl herum, runzelte die Stirn und hob dann verwirrt die Schultern.
»Das ist eine ... ungewöhnliche Bitte, Sir Mordred«, sagte er gedehnt. »Aber wenn Ihr darauf besteht ... Dulac.«
Dulac machte einen Schritt und Mordred schüttelte den Kopf. »Nicht der. Der andere.«
Überrascht blieb Dulac wieder stehen und sah nach links. Mordreds Hand hatte gar nicht auf ihn gedeutet, sondern auf Evan, der direkt neben ihm stand. Jetzt fiel ihm auch auf, dass Evan nicht nur erstaunt, sondern regelrecht entsetzt auf Mordred blickte.
Allerdings nur für einen Moment. Dann nickte er hastig und eilte so schnell hinaus, wie er konnte.
»Würdet Ihr uns freundlicherweise über den Grund Eures Wunsches aufklären, Sir Mordred?«, fragte Ritter Blaiden spröde.
»Was wir zu besprechen haben, ist nicht für jedermanns Ohren bestimmt«, antwortete Mordred. Er wies auf Du-

lac. »Der Junge da war auch bei unserem letzten Gespräch schon anwesend. Daher nehme ich an, dass Ihr ihm vertraut. Doch ein Paar neugieriger Ohren sind genug.«
»Ihr habt ein gutes Gedächtnis.« Artus' Blick streifte Dulac. Der Ausdruck darin war undeutbar, aber nicht besonders angenehm.
»Und was genau haben wir zu besprechen, dass niemand außerhalb dieses Raumes davon erfahren darf?«, fuhr Braiden fort.
Statt zu antworten legte Mordred beide Hände flach nebeneinander auf die Tischplatte und betrachtete scheinbar interessiert seine Fingerspitzen. Ein dünnes Lächeln spielte um seine Mundwinkel – aber es konnte ebenso gut ein Ausdruck von Verachtung sein. Überdies war seine Begründung nicht wahr. Er hatte Evan hinausgeschickt, weil die beiden sich kannten und er nicht Gefahr laufen wollte, dass irgendjemand das Erschrecken auf Evans Gesicht sah und die richtigen Schlüsse daraus zog.
»Sir Mordred ist auf meine Einladung hin gekommen«, sagte Artus, als Mordred nicht antwortete. »Ich habe ihn gebeten.«
Für einen Moment entstand Unruhe. Etliche Ritter wandten sich verwirrt Artus zu und nicht alle sahen drein, als wären sie mit seiner Entscheidung einverstanden. Schließlich sorgte Artus mit einer befehlenden Geste für Ruhe.
»Ich habe ihn gebeten herzukommen«, sagte er noch einmal und mit ganz leicht erhobener Stimme, »weil schon zu viel Blut geflossen ist und weil ich euch allen – und vor allem Euch, geehrter Mordred – etwas zu verkünden habe. Etwas, das sehr wichtig ist. Und das vieles ändern wird.«

»Und was wäre das?« Es war Sir Mandrake, der diese Frage stellte, nicht Mordred.
»Gemach«, antwortete Artus. »Lasst uns zuerst speisen. Es redet sich besser bei einem guten Essen.«
Mandrake schürzte die Lippen, aber er widersprach nicht und diesmal war das Lächeln auf Mordreds Gesicht eindeutig überheblich. Er sah jedoch nicht einmal auf, sondern betrachtete weiter angelegentlich seine Fingerspitzen.
Artus klatschte in die Hände und Dulac fuhr erschrocken zusammen und machte sich an die schier unmögliche Aufgabe, ganz allein das Essen für annähernd sechzig Gäste aufzutragen.
Er bemühte sich nach Kräften, aber er versagte schon bei dem Versuch, die Becher der Ritter zu füllen. Nicht einer der Ritter beschwerte sich, aber nach einer kurzen Weile erhob sich einer von ihnen und trat neben ihn, um ihm zur Hand zu gehen.
»Ich bitte Euch, Sir«, begann Dulac, »das ist –«
Er brach erschrocken ab, als er erkannte, wen er vor sich hatte. Der Ritter war deutlich älter als Artus. Sein Haar begann an den Schläfen bereits grau zu werden und in seinem Gesicht waren auch früher schon tiefe Linien gewesen, Narben, die der Anblick zu vieler Schlachten und das vergossene Blut zu vieler Feinde hineingegraben hatten. Nun aber war noch etwas hinzugekommen. Der Ausdruck in seinen Augen hatte sich verändert. Etwas fehlte. Dulac konnte nicht sagen was, aber es war etwas Wichtiges, dessen Verschwinden aus Sir Braiden einen anderen machte. Sein rechter Arm endete in einem Stumpf, über den er eine silberne Manschette gezogen hatte.
»Das ist schon in Ordnung, Junge«, sagte er lächelnd.

»Die Arbeit ist für einen allein unmöglich zu schaffen und so bin ich wenigstens noch zu etwas nutze. Oder kann es mir zumindest einreden.«

»Aber ... aber Eure Hand«, stammelte Dulac.

»Oh, das.« Braiden sah auf seinen Armstumpf hinab, beinahe so, als hätte er das Fehlen seiner Hand überhaupt erst jetzt bemerkt. »Ich war ungeschickt. Lass es dir eine Warnung sein, wenn du das nächste Mal in der Küche mit einem Messer umgehst.«

Dulac sah ihn verwirrt an. Sir Braidens Worte waren nichts anderes als scherzhaft gemeint, aber in seiner Stimme schwang ein Unterton von Bitterkeit mit, dessen er sich vermutlich selbst nicht einmal bewusst war. Es fiel Dulac schwer, sich nichts von seinen wirklichen Gefühlen und Gedanken anmerken zu lassen. Er kannte Sir Braiden, solange er sich überhaupt erinnern konnte. Der Tafelritter hatte die schwere Verletzung, die er bei der Schlacht am Cromlech davongetragen hatte, körperlich gut verkraftet. Aber etwas in ihm war zerbrochen und er würde nie wieder der Alte sein.

Dulac verscheuchte den Gedanken und konzentrierte sich wieder auf seine Arbeit. Sir Braiden war als Helfer eher willig als talentiert, sodass Dulac alle Hände voll zu tun hatte, auch nur die dringendsten Wünsche der Ritter zu erfüllen, aber irgendwie schafften sie es. Wäre nicht die leicht angespannte Stimmung gewesen, die wie die Vorahnung eines kommenden Gewitters in der Luft hing, hätte es fast ein ganz normaler Tag an König Artus' Tafel sein können.

Dieses *Fast* lag an Gwinneths Anwesenheit. Dulac erfüllte selbstverständlich jeden ihrer Wünsche und er beeilte sich es zu tun, noch bevor sie sie ganz ausgesprochen hatte, aber er hielt trotzdem eine möglichst große Distanz zu ihr und er bemühte sich, ihrem Blick auszuweichen, so gut es nur ging. Er hätte es nicht ertragen, ihr ins Gesicht zu sehen.

Schließlich wandte sich Artus mit einem lauten Räuspern an die Versammlung und bat um Aufmerksamkeit.

»Die Herren«, begann er. »Sir Mordred.«

Es wurde still. Sämtliche Ritter sahen Artus aufmerksam an; einzig Mordred griff nach seinem Becher und tat so, als wäre er vollkommen darauf konzentriert, zu trinken.

Artus überging den Affront. »Ich habe Euch heute alle hierher gebeten um Euch etwas mitzuteilen«, begann er. Seine linke Hand glitt über den Tisch und ergriff Gwinneths schlanke Finger. Gwinneth zog die Hand zwar nicht zurück, aber Dulac bemerkte sehr wohl, dass sie seinen Griff auch nicht erwiderte.

»In den letzten Wochen und Monaten«, fuhr Artus fort, »haben wir sehr viel erlebt. Wir haben gekämpft. Wir haben einige sehr gute Freunde verloren, aber auch neue gewonnen, und großes Unglück hat Camelot und seine Bewohner getroffen und der Schatten des Krieges hat sich über das Land gelegt. Das muss ein Ende haben.«

»Hört, hört«, sagte Mordred spöttisch. In Sir Galahads Augen blitzte es zornig auf, aber Artus brachte ihn mit einem raschen Blick wieder zur Ruhe.

»Aus diesem Grund habe ich mich entschlossen, ein Zeichen zu setzen«, fuhr Artus unbeeindruckt fort. »Ihr wisst, dass ich um Lady Gwinneths Hand angehalten habe und dass sie meinen Antrag angenommen hat. Unsere Hochzeit war auf das Fest der Sommersonnenwende angesetzt, doch wir sind übereingekommen, nicht mehr so lange zu warten.« Er legte eine kurze, auf Wirkung bedachte Pause ein. »Ich habe einen Boten nach York geschickt und den Bischof gebeten nach Camelot zu kommen, um die Trauung zu vollziehen. Lady Gwinneth Pendragon und ich werden am kommenden Sonntag in der Kapelle unten am Fluss heiraten.«

Dulac fuhr so erschrocken zusammen, dass er um ein Haar den Krug fallen gelassen hätte, den er in Händen hielt. Am kommenden Sonntag? Aber das war in *vier Tagen*! Sein Herz jagte. Unmöglich!, dachte er. Das konnte, das *durfte* nicht sein! Er begann am ganzen Leib zu zittern.

Niemand bemerkte es, denn auch die versammelten Ritter starrten Artus überrascht und betroffen an. Nicht alle Gesichter wirkten *freudig* überrascht. Selbst Gwinneth sah Artus fassungslos an und Dulac wurde klar, dass auch sie von Artus' Vorhaben erst in diesem Moment erfahren hatte.

Am fassungslosesten aber wirkte Mordred. Alle Farbe war aus seinem Gesicht gewichen. Er saß stocksteif da, wie zu Stein erstarrt, und seine Augen begannen vor Wut zu funkeln. Seine Hände zerdrückten den Zinnbecher, aus dem er bisher getrunken hatte, ohne dass er es selbst merkte.

»Verzeiht, Artus«, mischte sich Parzifal ein. »Aber die traditionelle Verlobungszeit ist noch –«

»Mein Freund«, unterbrach ihn Artus sanft. »War Camelot nicht immer dafür bekannt, mit überkommenen Traditionen zu brechen und sich der Zukunft zuzuwenden statt in der Vergangenheit zu verharren?«

Parzifal schwieg, aber Mandrake wandte ein: »Artus, wir alle gönnen Euch Euer Glück. Wer von uns verstünde nicht, dass Euer Herz der liebreizenden Lady Gwinneth verfallen ist. Aber bedenkt bitte auch, dass die Menschen in der Stadt anders denken und ... reden könnten?«

»Reden?«, fragte Artus. »Worüber?«

»Lady Gwinneth hat erst vor kurzem ihren Gatten verloren«, antwortete Mandrake. »Wäre es nicht klüger, zumindest eine angemessene Trauerzeit verstreichen zu lassen?«

Statt Artus antwortete Gwinneth. »Es wäre Uthers Wunsch gewesen«, sagte sie. Ihre Stimme war fest, aber Dulac spürte trotzdem den Aufruhr, der in ihrem Inneren tobte. »Wir haben darüber gesprochen.«

»Dass Ihr seinen Sohn heiratet?«

Artus' Gesicht verdüsterte sich, aber Gwinneth sprach ruhig und mit selbstsicherer Stimme weiter. »Ihr wisst, dass er alt genug war, um mein Großvater zu sein.«

Und Artus alt genug, um Euer Vater zu sein. Sir Mandrake sprach diese Worte nicht laut aus, sondern dachte sie nur, aber Dulac war trotzdem sicher, dass jedermann im Raum sie hörte. Artus' Miene verdüsterte sich noch weiter.

»Ihm war immer klar, dass Gott ihn lange vor mir zu sich rufen wird«, fuhr Gwinneth fort. Dulac fragte sich vergeblich, woher sie die Kraft nahm, so ruhig zu bleiben. Immerhin saß der Mann, der Uther getötet hatte, mit ihnen am Tisch. »Es war Uthers Wunsch, dass ich möglichst bald wieder einen Mann finde, der für mich sorgt und für meine Sicherheit garantiert. Und das Schicksal war sehr großzügig zu mir. Ich habe nicht nur gefunden, was sich Uther für mich gewünscht hat, sondern noch dazu einen Mann, der mich von ganzem Herzen liebt. Was soll ich mir mehr wünschen, Sir?«

»Einen Thron«, sagte Mordred böse.
»Und auch den bekomme ich«, antwortete Gwinneth lächelnd.
»So wie Camelot eine neue Königin«, fügte Artus hinzu. »Endlich. Vielleicht, wenn es Gottes Wille ist, sogar einen Erben, der den Thron besteigen kann, wenn einst meine Zeit gekommen ist.«
Seine Worte waren ein Schlag in Mordreds Gesicht. Seine Augen loderten vor Hass. »Wie erfreulich für Euch, Mylord«, sagte er spröde. Er deutete ein Kopfnicken in Gwinneths Richtung an. »Mylady. Meinen Glückwunsch. Aber wenn Ihr mir eine Frage gestattet, Artus –«
»Warum ich Euch hergebeten habe?« Artus lächelte. »Aber könnt Ihr Euch das denn nicht denken? Mein Herz quillt über vor Glück und ich möchte, dass die ganze Welt an diesem Glück teilhat. Krieg und Tod passen nicht so recht dazu, wie mir scheint. Deshalb biete ich Euch Frieden an.«
»Haben wir denn Krieg?«, fragte Mordred.
Artus ignorierte die Frage. »Ich habe ein Fest angeordnet, das eine Woche dauern soll«, sagte er. »Ganz Camelot soll mit mir feiern und glücklich sein. Eine Woche ist eine lange Zeit. Wir werden am Rande des Festes Gelegenheit finden, unsere Meinungsverschiedenheiten auszuräumen, da bin ich sicher.«
Mordred zögerte mit der Antwort. Dulac konnte sehen, wie sich die Gedanken hinter seiner Stirn jagten. »Das ist sehr freundlich von Euch, Mylord«, sagte er, »aber –«
»Selbstverständlich seid Ihr bis dahin mein Gast«, fiel ihm Artus ins Wort. »Ich habe bereits mein Privatgemach für Euch herrichten lassen.«

»Wie gesagt, Euer Angebot ehrt mich«, antwortete Mordred. Seine Hände begannen ganz leicht zu zittern. Um es zu verbergen griff er wieder nach dem zerquetschten Trinkbecher. »Dennoch kann ich es nicht annehmen. Es ist –«

»Ich fürchte, Ihr versteht mich nicht, Mordred.« Artus unterbrach ihn erneut. »Ich bestehe darauf.«

Es wurde sehr still. Mordred legte das, was von dem Becher übrig geblieben war, langsam und mit beiden Händen auf den Tisch und hob noch langsamer den Blick. »Ich verstehe Euch wirklich nicht, fürchte ich«, sagte er.

»Ich wünsche, dass Ihr hier auf Camelot bleibt, bis die Hochzeitsfeier vorüber ist, Mordred«, antwortete Artus. Er lächelte noch immer, aber seine Stimme war so kalt wie Eis und der Ausdruck in seinen Augen erinnerte Dulac an geschliffenen Stahl.

»Als Euer Gast – oder Euer Gefangener?«, fragte er geradeheraus.

»Diese Entscheidung«, antwortete Artus, »liegt ganz bei Euch. Aber ich wäre sehr froh, wenn Ihr die richtige treffen würdet.«

»Das werde ich, Artus«, sagte Mordred. »Verlasst Euch darauf.«

Er sprang in die Höhe, seine rechte Hand riss das Schwert aus der Scheide, mit der anderen griff er nach dem Gürtel, zog einen Dolch und schleuderte ihn mit furchtbarer Gewalt nach Artus. Der Dolch verwandelte sich in einen flirrenden Blitz, dem der Blick nicht mehr zu folgen vermochte.

Dennoch war Dulac schneller.

Er war sich nicht bewusst, was er tat. Etwas in ihm – vielleicht der Silberne Ritter, den es tief in ihm immer noch gab – übernahm einfach die Kontrolle. Dulac schleuderte den Weinkrug, den er noch immer in den Händen hielt, nach Mordred und warf sich mit weit ausgebreiteten Armen nach vorne auf Artus. Seine Wucht war so groß, dass Artus mitsamt seinem Stuhl zur Seite kippte, gegen den Gwinneths krachte und ihn auch noch aus dem Gleichgewicht brachte.

Dulac spürte etwas wie einen sanften Schlag gegen Rücken und Schulter. Er wusste genau, was es war, und erwartete einen grausamen Schmerz, aber es tat überhaupt nicht weh. Dennoch war die Gewalt des Treffers so groß, dass Artus, Gwinneth und er zusammen zu Boden geschleudert wurden. Die beiden Stühle zerbarsten und er hörte Artus ächzen und Gwinneth vor Schrecken aufschreien.

Er stürzte, rollte schwerfällig von Artus herunter und blieb auf dem Rücken liegen. Dulac spürte immer noch keinen Schmerz, aber er konnte sich nicht bewegen. Seine linke Schulter war taub und er fühlte seinen Arm nicht mehr. Alles schien unwirklich und leicht zu werden. Er hörte Kampfgeräusche, Schreie und das Klirren von Stahl. Mordred wehrte sich offenbar mit aller Kraft, aber Dulac wusste, dass er am Ende unterliegen würde. Er mochte so stark wie zehn Männer sein, aber die Übermacht war selbst für ihn zu groß.

Aber all das interessierte Dulac plötzlich gar nicht mehr. Das Gefühl von Leichtigkeit, das ihn ergriffen hatte, wurden immer stärker. Es war ihm gleich, was mit Mordred geschah, mit den Rittern, ja selbst mit Artus. Etwas tief in ihm war zerbrochen und er spürte mit unerschütterlicher Gewissheit, dass er sterben würde.

Auch das war ihm gleich. Er hatte überhaupt keine Angst. Er wünschte sich nur, Gwinneth wäre bei ihm.

Dann ging sein Wunsch in Erfüllung. Gwinneths Gesicht schwebte über ihm, eingerahmt in einen sanften, warm-roten Lichtschein, der alles andere ringsum verschwimmen ließ und ihrem Antlitz etwas Engelhaftes gab. Jemand hatte ein Stück aus der Zeit herausgeschnitten, denn er konnte sich weder erinnern das Bewusstsein verloren zu haben noch eingeschlafen zu sein. Dennoch lag er nicht mehr auf dem Boden vor dem Kamin, sondern in einem weichen Bett. Das mit Teppichen und Gemälden verzierte Mauerwerk gehörte zu Artus' Privatgemach und das Licht stammte von brennenden Fackeln an den Wänden.
»Ist er wach?«
Dulac begriff irgendwie, dass es sich bei der Frage um ihn handelte. Er wollte nicken, aber sein Körper weigerte sich immer noch ihm zu gehorchen.
An seiner Stelle antwortete Gwinneth. »Ja. Aber ich weiß nicht, wie lange.«
Dulac versuchte ihr Gesicht genauer zu erkennen. Das rote Licht verwischte nun nicht mehr alle Konturen, sodass er sehen konnte, wie unendlich müde und erschöpft sie aussah. Sie hatte geweint.
»Was ... ist passiert?«, murmelte er.
»Du sollst doch nicht reden, du Dummkopf«, schalt ihn Gwinneth. »Das strengt dich nur an.«
»Lass ihn ruhig.« Schritte wurden laut, dann trat Artus in sein Blickfeld. Er sah so müde und erschöpft aus wie Gwinneth. »Es spielt keine Rolle mehr. Und er hat ein Recht, alles zu erfahren.«

Dulac hatte das Gefühl, dass diese Worte ganz dazu angetan waren, ihm Angst zu machen, aber dieses Gefühl stellte sich nicht ein. Stattdessen empfand er eine tiefe Dankbarkeit.

Er befeuchtete seine Lippen mit der Zungenspitze, um deutlicher reden zu können, und fragte noch einmal: »Was ist geschehen?«

»Du hast mir das Leben gerettet«, antwortete Artus. »Mordreds Wurf hätte mich getötet. Und Gwinneth vielleicht auch. Wenn du dich nicht dazwischen geworfen hättest, dann wäre ich jetzt tot.«

Dulac wollte antworten, aber seine Lippen waren plötzlich so spröde, dass sie ihm den Dienst versagten. Gwinneth stand auf, kam nach einem Moment zurück und setzte ihm einen zierlichen silbernen Trinkbecher an die Lippen. Dulac trank mit großen, gierigen Schlucken, hustete qualvoll und spuckte einen Großteil des Wassers wieder über Gwinneths Hände. Als er das nächste Mal zu sprechen versuchte, ging es besser.

»Und was ist ...«

»Mit dir?« Artus schüttelte den Kopf. »Wir haben den besten Arzt Camelots kommen lassen, aber dieser Dummkopf kann eine Hämorride nicht von einem eingewachsenen Zehennagel unterscheiden. Wenn Merlin noch hier wäre! Aber so ...«

»Ich werde sterben«, sagte Dulac.

»Deine Schulter ist zerschmettert«, antwortete Artus. »Einige Splitter sind wohl in die Lunge gedrungen. Selbst wenn du es überleben würdest, wärst du für den Rest deines Lebens verkrüppelt. Aber die Verletzung ist zu schwer.«

Gwinneth begann lautlos zu weinen und Dulac fragte: »Wie lange noch?«
»Das weiß nur Gott allein«, antwortete Artus. »Diese Nacht, vielleicht noch den morgigen Tag ...« Er zögerte. »Ich kann dir etwas geben, das es abkürzt, wenn die Schmerzen zu schlimm werden.«
»Ich habe keine Schmerzen«, antwortete Dulac, was die Wahrheit war. Er fühlte gar nichts.
»Wenigstens etwas«, sagte Artus erleichtert. »Ich wollte, ich hätte bessere Nachrichten für dich. Aber ich will dich nicht belügen.«
»Es ... es ist doch noch gar nicht sicher, dass er wirklich stirbt!«, protestierte Gwinneth. Tränen liefen über ihr Gesicht. Ihre Stimme bebte. »Manchmal tut Gott ein Wunder!«
»Gott?« Artus sah sie traurig an. »Welcher Gott? Seiner? Oder unserer?«
»Du sollst ... nicht weinen«, flüsterte Dulac. Seine Stimme wurde leiser. Diesmal konnte er spüren, wie sein Bewusstsein zu erlöschen begann; nicht schlagartig wie vorhin, sodass er es gar nicht bemerkte, sondern den angefangenen Gedanken einfach Stunden später weiterdachte. Jetzt war es, als würde ein unsichtbarer ruhiger Strom, der bisher unbemerkt, aber sehr machtvoll tief in ihm geflossen war, ganz allmählich versickern. Er hatte noch ein wenig Zeit.
»Warum nicht?«, fragte Gwinneth. »Darf ich nicht weinen, wenn du stirbst? Warum nimmst du es einfach so hin? Warum wehrst du dich nicht?«
»Weil es gut so ist«, antwortete Dulac. Diese Worte waren ehrlich gemeint. Er hatte keine Angst vor dem Tod und er haderte auch nicht mit dem Schicksal. Ganz im Gegenteil

– endlich hatte er begriffen, warum er zurück nach Camelot gekommen war. Er hatte geglaubt, dass sich das Schicksal einen grausamen Scherz mit ihm erlaubt hatte, ihn hierher zurückzubringen, wo er ständig in Gwinneths Nähe sein würde, jeder Tag eine unvorstellbare Qual, die ihn langsam von innen heraus verzehren musste.

Die Wahrheit war die, dass er zurückgekommen war um Artus zu retten. Und wenn es sein eigenes Leben kostete, so war das ein geringer Preis.

»Gut so? Was soll am Tod eines Menschen gut sein?« Gwinneth weinte jetzt nicht mehr lautlos, sondern schluchzte, schnell und krampfhaft. Ihr Kopf sank nach vorne und ihr Haar fiel auf eine Seite. Wieder sah er – diesmal bewusst – Gwinneths Ohren. Sie waren hell, fast weiß, und so zerbrechlich wie Porzellan wie alles an ihr, aber sie hatten auch eine Besonderheit: Gwinneth trug einen Ohrschmuck, wie Dulac ihn noch nie zuvor gesehen hatte. Der obere Rand ihrer Ohren war mit schmalen goldenen Streifen verziert, in denen winzige Edelsteine glitzerten. Ein solches Schmuckstück ergab überhaupt keinen Sinn, denn es musste sehr unbequem zu tragen sein und niemand sah es.

Es sei denn, man wollte etwas damit verbergen.

Er sagte nichts und auch Gwinneth bemerkte nichts von seinem Erschrecken, aber als er den Blick hob, begegnete er dem Artus', und was er darin las, ließ ihn erschauern.

»Ich will nicht, dass du aufgibst«, schluchzte Gwinneth. »Du ... du darfst nicht sterben!«

Artus legte ihr sanft die Hand auf die Schulter. »Bitte lass uns allein, Gwinneth«, sagte er.

»Warum?« Gwinneths Kopf flog mit einem Ruck in den

Nacken. Ihre Augen flammten. »Damit du ihm etwas geben kannst, damit es *schneller geht?*« Sie schlug zornig seine Hand zur Seite, sprang auf und rannte aus dem Raum.

Artus sah ihr traurig nach, bis sie die Tür hinter sich zugeworfen hatte, und ließ sich anschließend neben Dulac auf die Bettkante sinken; genau dort, wo Gwinneth bis jetzt gesessen hatte.

»Sie meint es nicht so«, sagte er. »Manchmal hilft es einem, eigenen Schmerz leichter zu ertragen, wenn man einem anderen wehtut.«

»Sie ist –«

»Wie wir«, unterbrach ihn Artus. Er strich mit beiden Händen das Haar zurück und Dulac sah ohne besondere Überraschung, dass seine Ohren vernarbt waren; deutlich feiner als die Dulacs, aber auf dieselbe, charakteristische Weise. So als wären sie früher viel länger und vielleicht spitz gewesen und man hätte sie abgeschnitten.

»Wie ich«, fuhr er fort. »Und du.«

»Dann sind wir –«

Wieder unterbrach ihn Artus. »Wir wurden nicht auf dieser Welt geboren, Dulac, weder du noch ich oder Gwinneth, und auch so manch anderer nicht. Wir stammen von der Tir Nan Og, der Insel der Unsterblichen.«

»Avalon?«, fragte Dulac. Warum sagte er es ihm nicht einfach? Es spielte keine Rolle mehr.

»Die Menschen haben viele Namen dafür gefunden«, antwortete Artus. »Sie alle bedeuten dasselbe – den Ort, den keiner von ihnen je gesehen hat und von dem sie doch tief in sich spüren, dass es ihn gibt. Sie sehnen sich dorthin, denn er ist alles, was sie niemals haben können.«

»Ist Merlin auch von dort gekommen?«, fragte Dulac.
»Er war einer der mächtigsten Magier der Anderswelt«, bestätigte Artus.
»Dann ... dann seid Ihr auch ein Magier?«
Artus schüttelte mit einem traurigen Lächeln den Kopf. »Ich? O nein. Manchmal wünschte ich mir, ich wäre es, aber ich bin nur ein Krieger. Da, wo wir herkommen, bin ich nicht einmal ein König. Ich wurde hierher geschickt, um über die Menschen zu wachen. Sie sind ein starkes Volk und sehr stolz, aber sie sind jung und sie müssen noch viel lernen. Merlin und einige wenige Getreue haben mich begleitet, aber das ist lange her. Am Schluss gab es nur noch Merlin und mich. Und jetzt nur noch mich.«
»Und ... und ich?«, fragte Dulac.
Artus schüttelte traurig den Kopf. »Eine Zeit lang hatte ich gehofft, du wärst derjenige, dessen Kommen mir Merlin prophezeit hat, aber du bist es nicht. Manchmal ...« Er suchte nach Worten. »Manchmal verirrt sich ein Kind aus der Anderswelt in diese, weißt du? Die meisten sterben oder werden getötet, weil sie anders sind und weil die Menschen alles fürchten, was sie nicht verstehen. Es gibt eine alte Prophezeiung, nach der eines dieser Kinder zum Mann heranwachsen und Camelot in der Stunde der höchsten Not beistehen wird. Eine Zeit lang dachten Merlin und ich, du könntest dieser Junge sein. Aber ich fürchte, du bist es nicht.«
»Weil ich sterbe?«
»Weil ich ihn getroffen habe«, antwortete Artus traurig. »Er ist gekommen, als die Not am größten war, hat Camelot gerettet und ist wieder verschwunden, so wie Merlin es vorausgesagt hat.«

»Der Silberne Ritter«, vermutete Dulac. »Lancelot.«
»Er hätte dir gefallen«, sagte Artus lächelnd. »Er war nicht viel älter als du, aber er war ein Ritter, der selbst mich das Fürchten hätte lehren können.«
»Warum ist er gegangen?«, fragte Dulac.
»Das weiß ich nicht«, antwortete Artus leise. »Vielleicht ist es, wie ich es gerade gesagt habe. Die Menschen fürchten, was sie nicht verstehen, und was sie fürchten, das hassen sie.«
»Aber Euch lieben sie doch!«
»Ich habe ihnen auch niemals meine wahre Stärke gezeigt«, antwortete Artus. »Und sie brauchen mich. Meinen Schutz und vor allem mein Schwert. Camelot muss weiterleben, Dulac. Deshalb muss ich Gwinneth heiraten. Nur einer von uns kann Camelots Thron besteigen. Und das muss geschehen. Wenn Camelot fällt, wird dieses ganze Land zurück in die Barbarei fallen, aus der wir es herausgeführt haben.«
Dulac spürte, wie der Strom in ihm weiter versickerte. Es war jetzt nur noch ein kaum hörbares Plätschern, nicht mehr der gewaltige Strom von Lebenskraft, dazu gedacht, ein Leben lang zu reichen. Aber diesmal stemmte er sich mit aller Verzweiflung gegen die Schwäche. Da war noch etwas, was er wissen musste.
»Warum ... erzählt Ihr mir das alles, Herr?«, fragte er.
»Weil ich möchte, dass du mir verzeihst«, antwortete Artus.
»Verzeihen? Aber was hätte ich –«
Artus hob die Hand um ihn zu unterbrechen. »Hast du wirklich geglaubt, dass ich nicht merke, wie du Gwinneth ansiehst und sie dich? Dass zwischen euch mehr ist als nur

Freundschaft? Ich wollte dich nicht nur wegschicken, um dir eine gute Ausbildung zukommen zu lassen.« Er hob in einer schuldbewussten Geste die Schultern. »Ich wollte dich loswerden und es erschien mir ein bequemer Weg. Und nun kommst du zurück und opferst dein Leben für mich, ohne auch nur einen Augenblick zu zögern. Ich stehe auf ewig in deiner Schuld.«

Dulac lächelte matt. »So lange wird das nicht mehr sein.«

»Darf ich trotzdem noch eine Bitte äußern?«, fragte Artus. Selbst in seinem geschwächten Zustand riss Dulac ungläubig die Augen auf. Artus – der König! – fragte ihn, ob er eine Bitte äußern dürfte!

»Selbstverständlich.«

»Ich habe dich heute Morgen nicht ohne Grund zur Schatzkammer bestellt«, sagte Artus. »Du warst von allen hier bei Hofe immer der, der am längsten mit Merlin zusammen war. Und der ihm am nächsten gekommen ist. Ich habe, was von Merlins Gerätschaften und Büchern geblieben ist, in die Schatzkammer bringen lassen. Kennst du dich damit aus? Mit dem, was er damit getan hat?«

»Nein«, antwortete Dulac wahrheitsgemäß. Er war nicht Dagdas Zauberlehrling gewesen. Die wenigen Male, die er eher zufällig Zeuge von Merlins Magie gewesen war, hatte ihn das Gesehene zutiefst erschreckt.

Artus hob die Schultern. »Merlins Hilfe fehlt mir schmerzlich. Es wäre wichtig, wenn dir etwas einfallen würde.«

»Nein«, sagte Dulac noch einmal. »Es tut mir Leid.«

»Das braucht es nicht«, antwortete Artus. Es fiel ihm schwer, seine Enttäuschung zu verbergen. Trotzdem lächelte er, als er aufstand. »Wahrscheinlich war es sowieso nicht wichtig. Ich danke dir, dass du es versucht hast.«

Er wollte sich herumdrehen und gehen, aber Dulac rief ihn noch einmal zurück. »Artus?«
Artus blieb stehen und wandte sich auf halbem Weg noch einmal zu ihm um. »Ja?«
»Darf ich ... jetzt auch noch eine Bitte äußern?«, fragte Dulac.
»Natürlich«, antwortete Artus. »Was immer du willst.«
»Ich möchte nicht hier sterben«, sagte Dulac. »Lasst mich ... zu der Stelle bringen, an der man mich gefunden hat. Der Stelle am See.« Er zögerte einen Moment. »Es ist doch der kleine See, auf halbem Wege zum *Schwarzen Eber*, nicht wahr?«
Artus nickte. »Der Weg ist viel zu weit und zu anstrengend«, sagte er. »Du wärst tot, noch bevor wir die Stadt verlassen haben.«
»Und?«, fragte Dulac. Er wusste, dass er den Weg bis zum See vermutlich nicht überleben würde. Aber irgendetwas zog ihn mit fast unwiderstehlicher Gewalt dorthin. Es musste wohl so sein, wie Artus gesagt hatte: Seine Heimat lag auf der anderen Seite und irgendetwas in ihm spürte, dass der Weg dort begann.
Aber es gab noch einen anderen, mindestens ebenso triftigen Grund. Seine Schulter hatte zu schmerzen begonnen. Nicht stark, aber er spürte, dass es bald schlimmer werden würde. Sein Tod würde nicht leicht werden. Er würde leiden, vielleicht schreien. Und er wusste, dass Gwinneth wiederkommen würde, sobald Artus gegangen war. Er wollte nicht, dass sie ihn so sah.
»Es tut mir Leid, Dulac«, sagte Artus bedauernd. »Jeden anderen Wunsch, nur diesen nicht. Selbst wenn ich es wollte, es wäre unmöglich. Mordred wurde in den Kerker

geworfen, aber seine Krieger streifen noch durch die Wälder rings um Camelot. Jeder, der die Stadt verlässt, riskiert sein Leben. Ich kann das von niemandem verlangen.«
»Nein«, flüsterte Dulac. »Sicher nicht.«
»Es tut mir Leid«, sagte Artus noch einmal. »Ich würde es nicht einmal für mich selbst verlangen.«
Aber den letzten Satz hörte Dulac schon kaum noch.

Er starb nicht, aber sein Geist näherte sich jenem Punkt, an dem es keine Rückkehr mehr gab, so sehr, wie es nur möglich war, ohne ihn tatsächlich zu überschreiten.
Obwohl bewusstlos, hatte er große Schmerzen. Er wusste nicht zu sagen, ob es sich dabei nur um einen Teil der bizarren Halluzinationen und Fieberfantasien handelte, die er durchlitt, oder um tatsächlichen Schmerz, der irgendwie seinen Weg in den Traum gefunden hatte. Die Wirkung blieb sich gleich. Dulac wünschte sich schon bald, endlich zu sterben, und sei es nur, um der unvorstellbaren Qual zu entrinnen, die nun nicht mehr nur in seiner Seele, sondern auch in seinem Körper wütete.
Doch statt zu sterben wachte er irgendwann während der Nacht auf. Sein Geist wurde von einer Fiebervision in die nächste gewirbelt, sein Körper von allen Dämonen der Hölle gepeinigt und er hätte im ersten Moment nicht einmal sagen können, ob die aus rauen Quadern errichteten Wände ringsum Wirklichkeit waren oder zu einer der Albtraumszenarien gehörten, in denen er sich während der letzten Stunden aufgehalten hatte.
Eine Gestalt bildete sich aus den gerinnenden Schatten, selbst nicht mehr als ein flackernder Schemen, ohne Substanz und auch ohne Gesicht, aber schwärzer als bloße

Dunkelheit und von einer fast greifbaren Aura der Bedrohung eingehüllt. Sie machte einen Schritt auf ihn zu, verschwand, tauchte wieder auf und hatte nun ein Gesicht. Es war Morgaine le Faye, doch noch bevor Dulac auch nur Zeit finden konnte, zu erschrecken, schlug eine Woge weiß glühender lodernder Schemen über ihm zusammen und löschte sein Bewusstsein nahezu aus. Als sich sein Blick wieder klärte, stand Morgaine über sein Bett gebeugt und hielt ihm eine Schale aus Holz an die Lippen – nur dass es jetzt nicht mehr Morgaine war, sondern Gwinneth.

»Trink«, sagte sie. »Es schmeckt scheußlich, aber es wird den Schmerz auf ein erträgliches Maß lindern.«

Dulac gehorchte. Er hätte gar nicht die Kraft gehabt, sich zu widersetzen. Selbst das Schlucken forderte fast mehr Kraft von ihm, als er besaß, und Gwinneth hatte Recht: Die Flüssigkeit war warm und schmeckte abscheulich, aber die versprochene Wirkung blieb zumindest im ersten Moment aus. Von seiner Schulter aus rasten Wogen schier unerträglicher Pein durch seinen Körper.

Aber sein Denken begann sich zu klären. Gwinneths Gesicht gewann rasch an Deutlichkeit und machte nun keine Anstalten mehr, zu dem ihrer dunklen Gegenspielerin zu werden, und es gelang ihm sogar, zu sprechen; auch wenn es im ersten Moment kaum mehr als ein Flüstern war.

»Gwinneth. Was tut ... Ihr hier? Ich will nicht, dass –«

»Nicht reden«, unterbrach ihn Gwinneth. Ihre Stimme war ungewohnt kühl, dabei aber sehr befehlend. Als hätte sie ihm angesehen, wie ihre Worte wirkten, lächelte sie plötzlich und fügte sanfter hinzu: »Wenigstens noch nicht. Du verbrauchst zu viel Kraft.«

»Was tust du hier?«, fragte Dulac noch einmal. Der Zaubertrank, den sie ihm eingeflößt hatte, wirkte nun doch. In seinen Adern schien noch immer rot glühendes Feuer zu fließen, aber die Qual war nicht mehr so unerträglich, dass er den Tod herbeigesehnt hätte.

»Das einzig Richtige«, antwortete Gwinneth. »Artus hatte kein Recht, dir deinen letzten Wunsch abzuschlagen. Ich werde tun, was er dir verwehrt hat.«

Es dauerte einen Moment, bis Dulac begriff, wovon sie überhaupt sprach. Er versuchte sich in die Höhe zu stemmen, aber er hatte seine Kräfte überschätzt und sank mit einem wimmernden Laut zurück.

»Streng dich nicht an«, sagte Gwinneth. Wieder begann ihr Gesicht vor seinen Augen zu verschwimmen, und als es erneut Gestalt annahm, war auch noch die allerletzte Ähnlichkeit mit Morgaine verschwunden. Auch wenn der Trank, den sie ihm gegeben hatte, den Schmerz nicht zu besiegen vermochte, so hatte er ihn doch endgültig aus den Klauen des Albtraumes befreit.

»Ich wünschte, ich könnte mehr für dich tun«, sagte sie traurig. »Ich wünschte, ich könnte alles ungeschehen machen und noch einmal von vorne anfangen.«

»Ich ... verstehe nicht ...«, murmelte Dulac.

»Ich habe immer nur dich geliebt.« Gwinneths Augen füllten sich mit Tränen. »Nicht Artus. Warum muss man etwas erst verlieren, damit man merkt, wie viel es einem wirklich bedeutet hat?«

»Du solltest nicht hier sein«, murmelte Dulac. Tief, ganz tief in sich drinnen hörte er eine Stimme, die fragte, ob sie tatsächlich die Wahrheit sprach oder ob es nur eine barmherzige Lüge war, um ihm seine letzten Augenblicke zu erleichtern. Er hasste sich dafür, dass er sich diese Frage

stellte, und er hasste sich noch viel mehr für die Antwort, die er sich selbst gab.
»Artus und seine Ritter sind oben im Thronsaal und debattieren sich die Köpfe heiß«, sagte Gwinneth kopfschüttelnd. »Keine Sorge. Niemand wird herkommen. Glaubst du, dass du aufstehen kannst?«
Dulac versuchte es. Der Schmerz, der in seiner Schulter und in seinem Rücken explodierte, war grauenvoll, aber er schaffte es. Schwankend richtete er sich auf, blieb eine volle Minute auf der Bettkante sitzen, um wieder zu Kräften zu kommen, und stemmte sich dann endgültig in die Höhe. Er machte zwei taumelnde Schritte und musste sich an der Wand abstützen um nicht zu fallen.
»Unten warten zwei Pferde auf uns und ich habe die Wachen am Tor bestochen«, sagte Gwinneth. »Niemand wird uns aufhalten. Die Männer sind es gewohnt, dass ich manchmal allein wegreite, auch zu ungewöhnlichen Zeiten.«
Sie reichte ihm einen schwarzen Mantel und half ihm ihn überzustreifen, dann wandte sie sich rasch um, ging zur Tür und sah aufmerksam hinaus.
»Es ist keiner da«, flüsterte sie. »Komm.«
Dulac war sicher, dass er es nicht schaffen würde. Seine Kraft würde nicht einmal ausreichen den Raum zu durchqueren, davon, die Treppe hinunterzugehen oder gar auf ein Pferd zu steigen, ganz zu schweigen. Die Wunde in seinem Rücken hatte wieder zu bluten begonnen. Er konnte spüren, wie das Leben aus ihm herauslief. Mordred hatte ihn getötet.
Er machte einen einzelnen, qualvollen Schritt, einen weiteren und noch einen und irgendwie gelang es ihm, die Tür zu erreichen und sich auf den Gang hinauszuschleppen.

Dulac vermochte hinterher nicht mehr zu sagen, wie er es geschafft hatte, den Gang zu überwinden und die Treppe hinter sich zu bringen. Das Haus wirkte wie ausgestorben. Er konnte die Stimmen Artus' und der anderen im Thronsaal hören und auch aus anderen Teilen des Gebäudes drangen Geräusche und Stimmen. Aber sie begegneten keinem Menschen, sondern erreichten unbehelligt den Hof und die beiden wartenden Pferde.

Gwinneth hob ihn mehr in den Sattel, als er aus eigener Kraft hinaufstieg, und er schien für einige Augenblicke erneut das Bewusstsein verloren zu haben, denn der nächste halbwegs klare Eindruck, den er hatte, war die Dunkelheit des Torgewölbes, durch das sie ritten. Von den beiden Wachen, die normalerweise hier standen, war nichts zu sehen und selbst Gwinneth schien zu einem flackernden Schatten irgendwo neben ihm geworden zu sein.

Der Weg zum See hinaus glich einem Albtraum. Fieber, Schüttelfrost und Schmerzen wechselten einander ab und die meiste Zeit wusste Dulac nicht einmal, wo er war, und er war sich auch Gwinneths Anwesenheit kaum bewusst.

Er erwachte aus dem tranceähnlichen Zustand, als sein Pferd langsamer wurde und schließlich anhielt. Er saß weit nach vorne gebeugt im Sattel und registrierte mit dumpfer Überraschung, dass sie ihr Ziel erreicht hatten: Vor ihnen beschrieb der Weg einen sanften Knick, hinter dem er den See wusste, an dem alles begonnen hatte.

»Wir sind da«, sagte Gwinneth neben ihm und wies auf die Wegbiegung. »Weiter werde ich dich nicht begleiten. Lebe wohl, Dulac. Vertrau auf die Macht derer, die uns hierher geschickt haben.«

Bei den letzten Worten liefen Tränen über ihr Gesicht und

dann zwang sie mit einem plötzlichen Ruck ihr Pferd herum und sprengte so schnell davon, dass es war, als hätte die Nacht sie einfach verschlungen.
Dulac starrte die Dunkelheit hinter sich lange voller Trauer an. Wie gerne hätte er noch ein letztes Wort des Abschieds mit ihr gewechselt, sie noch einmal in die Arme geschlossen. Aber er wusste, dass Gwinneth das nicht ertragen hätte. Sie wollte nicht dabei sein, wenn er das allerletzte Stück seines Weges antrat. Sie hatte ein fürchterliches Risiko auf sich genommen, um ihm diesen letzten Dienst zu erweisen, aber ihre Kraft reichte nicht aus, ihm beim Sterben zuzusehen.
Müde ließ sich Dulac aus dem Sattel gleiten. Seine Füße hatten kaum den Boden berührt, da tänzelte das Pferd hastig zur Seite, drehte sich herum und galoppierte mit einem erleichterten Schnauben davon. Das Tier war die ganze Zeit über nervös und störrisch gewesen, aber Dulac wurde erst jetzt klar, dass es nicht die Angst vor der Dunkelheit oder einer unbekannten Gefahr gewesen war. Es hatte Angst vor ihm gehabt. Vielleicht spürte es ja, dass es im Grunde schon einen toten Reiter trug.
Unendlich langsam schleppte sich Dulac den Weg entlang. Es waren nur wenige Schritte, die er bis zur Biegung und dem dahinter liegenden See zurücklegen musste, und doch kam es ihm vor, als würde er für diese kurze Strecke länger als für den gesamten Weg aus der Stadt hinaus benötigen. Und als er die Wegbiegung endlich erreichte und der See vor ihm lag, sah er, dass er erwartet wurde.
Im seichten Wasser unweit des Ufers stand das Einhorn. Sein Fell schimmerte wie frisch gefallener Schnee im Mondlicht und seine großen, auf so beunruhigende Weise

wissenden Augen sahen Dulac ruhig entgegen. Es regte sich nicht, sondern stand da wie eine bizarre Statue. Selbst das Wasser des Sees, in dem es stand, schien zur Reglosigkeit erstarrt.
Dulac machte noch einen weiteren Schritt und blieb stehen. Das Leben rann jetzt immer schneller aus ihm heraus und die Zeit, die ihm noch blieb, war eher in Sekunden als in Minuten zu rechnen. Sein Mantel war schwer von seinem eigenen Blut, das sich zwischen seinen Füßen zu einer dunklen Lache sammelte, und ein Gefühl tückischer, wohl tuender Mattigkeit begann immer mehr von seinen Gliedern Besitz zu ergreifen. Vielleicht begriff er erst in diesem Moment wirklich, was Gwinneth gemeint hatte, als sie ihm sagte, er solle auf die Mächte vertrauen, die ihn hierher geschickt hatten.
Vor ihm lag die Rettung.
Wenn er diese letzten Schritte tat, dann würde er weiterleben. Und doch zögerte er sie zu tun, denn er würde zwar leben, aber gleichzeitig auch sterben. Das Einhorn war gesattelt und aufgezäumt. Schild und Waffengurt des Silbernen Ritters hingen an seinem Sattelzeug und hinter dem weißen Sattel sah er das Schimmern von weiterem, silberfarbenem Metall. Lancelots Rüstung. Zweimal hatte er sie bereits bekommen und zweimal hatte er das Geschenk, das sie bedeutete, zurückgewiesen. Ein drittes Mal würde es ihm nicht gestattet werden, sich zwischen zwei Leben zu entscheiden.
Aber habe ich das nicht längst getan?, dachte er müde. Er hatte geglaubt, als Dulac nach Camelot zurückkehren zu können, aber das war falsch gewesen. Der Dulac, der er früher einmal gewesen war, hatte in dem Moment aufge-

hört zu existieren, in dem er das erste Blut vergossen hatte. Mordred hatte nur zu Ende gebracht, was er selbst bei seinem ersten Besuch auf Malagon begonnen hatte. Er hatte nur die Wahl, es hier und jetzt ein für alle Mal enden zu lassen oder als Lancelot du Lac wieder geboren zu werden, und diesmal war es ein Weg ohne Zurück. Er fürchtete sich vor dem Tod, aber er fürchtete sich auch vor dem, was aus ihm werden könnte. Artus und die meisten seiner Ritter mochten Lancelot bewundern und ihm vorbehaltlos vertrauen, aber Dulac – den es so oder so in wenigen Augenblicken nicht mehr geben würde – fürchtete ihn.

Das Einhorn hob den Kopf und schnaubte und Dulac begriff den Sinn dieser Aufforderung. Seine Zeit war endgültig vorbei.

»Gwinneth«, flüsterte er.

Er hatte sich entschieden.